Pierre Adrian

Des âmes simples

Gallimard

Pour ceux qui ici sont vrais, j'ai écrit ce livre.

« À présent, il va falloir me mettre au travail, tisonner ce feu intérieur, avec un mélange de détresse et de joie. Je dirai tout. Je vais ouvrir le bief. Mes filles, pas trop de bruit. J'ai besoin de silence car l'inconnu me dévore… »

XAVIER GRALL

« … et l'espérance prit une nouvelle lumière. »

PIER PAOLO PASOLINI

1

Il y a des vies qu'il faut savoir finir. Ce jeu minable d'être quelqu'un. Alors on se lève un matin. Et, avec un peu de volonté, on dit que ce sera le dernier.

Le bourg de Lescun s'éteint dans un dimanche de premier été. La lumière de midi, abominable, laisse place à ces après-midi vides. Déjà le ciel a versé. Quelques nuages stagnent comme de lourds zeppelins. Dans son déclin, le soleil a oublié la vallée. Il s'offre là-haut, aux dernières neiges éternelles. Il roule sur la ligne de crête. Mais de la lumière, la vallée n'a plus qu'une vague idée. Tout se tait. Tournée vers le vide, l'église de Lescun n'a pas sonné les cloches pour l'office. Ce matin, la messe était à Bedous. Alors les toits d'ardoise restent sages et on vit mollement la fin de journée sous leurs poutres. Sept heures du soir. L'heure où les chiens aboient. Jean n'a rien prévu. De sa mort, seule la volonté n'a rien d'improvisé. Et ses blessures. Dernier dimanche du mois, les enfants sont chez lui. En soirée, il devra les raccompagner chez leur mère à Oloron. Elle ne le regarde pas quand il dépose Anne et Thibaut. On ne fait plus attention au facteur qui passe. Et après cette course, il rentrera vers Lescun, lancé sur la nationale 134 qui monte au col du Somport. Il déboulera dans la vallée, torturé par un long cafard. Dimanche soir à vomir. Blues du pauvre.

À l'heure dite, Jean appelle Thibaut, assis sur le canapé. Ses jambes grêles se balancent dans le vide. Dans trois ans peut-être, il aura touché le sol. Thibaut doit éteindre ses jeux vidéo et enfiler son blouson. Anne marche à peine. Jean l'enfouit dans ses pulls et son manteau comme un nouveau-né dans les langes. Les moufles mâchouillées pendent à leur fil. Anne sourit. Elle a compris, et commence à chuchoter « maman, maman… ». Papa est ce mot qu'ils ne connaissent pas. L'ingratitude de donner la vie. Les yeux fixés sur sa Gameboy, Thibaut s'installe dans la voiture. Dans les rainures de la banquette arrière, les miettes des goûters s'accumulent. Au sol, paquets de biscuits et bouteilles vides, capuchon d'un vieux biberon. Et bientôt ils danseront entre les portières, ils choqueront. Jean installe Anne dans son fauteuil. La petite se laisse faire, elle bat des pieds. Anne joue même à attraper les cheveux de son frère. Leur sourire est malicieux, papa a oublié d'attacher les ceintures.

Entre chiens et loups. L'expression en vallée est plus valable qu'ailleurs. Non pas que les loups y rôdent toujours en meute. Ils ont depuis longtemps quitté la vallée. Et quelques enfants seulement les voient encore en cauchemar, apeurés par une histoire racontée au coucher. Non, chiens et loups parce que la lumière cernée par la montagne disparaît bien avant la nuit. Les couchers de soleil n'existent pas. En attendant la nuit, on vit dans la pénombre, les rumeurs. On ne tarde jamais trop à fermer ses volets. Les rues sont lâchées aux chiens errants, à la pesanteur de l'air qui passe en poussière. La lumière ne vient plus d'en haut. Elle se promène entre ciel et terre, sur les sommets, cette âpre limite où, justement, la terre essaie en vain de toucher le ciel. La terre est une chienne dévorée par les loups. Sept heures.

Avant de redescendre dans la vallée, Jean veut voir encore la montagne, le cirque de Lescun qui attire les touristes en été et fait tripler la population du village. Ce spectacle est le paysage de sa vie. Sans précipitation, bien obligée de repasser en seconde dans les tournants, la voiture monte alors la route qui mène à l'Abérouat, dernier refuge avant les excursions. Du village, on ne s'aventure guère plus là-haut. On laisse les randonnées aux visiteurs. Jouer avec la montagne est un luxe d'étranger. La route torse ne devient bientôt plus qu'un chemin carrossable, impraticable en hiver lorsque la neige l'a soufflé. Jean regarde. Oui, la lumière est toujours là, presque trop mûre, blette, orangée. Elle court. Thibaut demande pourquoi on ne descend pas chez maman. Papa veut voir son cirque. Papa est triste comme un clown. Tu ne le vois pas. Il est bien maquillé. Mais en dedans, papa est rongé, honteux. Son cœur s'est ensauvagé. Il ne reste de l'existence qu'une douleur térébrante. Alors, alors il faut savoir finir. Étouffer ce cafard. La douleur est une histoire qui ne se partage pas. Jusqu'où peut-on supporter le divorce avec la femme qu'on aime ? Assister au spectacle de la mère de ses enfants avec un autre ? Ça passera, ont dit les copains. Une de perdue, dix... La barbe.

Jean débouche sur ce promontoire qui domine la vallée. Pour un moment, il coupe le contact et fait craquer le frein à main. Le cirque est là, qui s'offre à lui. Plus haut, ce sont les estives, pâturages assombris qui laissent ensuite leur place aux premières roches. Les pierriers dévorent la terre. Une armée en campagne qui grimpe vers les hauteurs. Elle brûle toute végétation, se gorge de cailloux, piégeuse et mouvante. Ce spectacle est immobile. Jean sort et s'appuie contre la vitre. Anne et Thibaut restent happés par l'écran de la Gameboy, ils connaissent sa petite musique, ces sons électroniques qui jouent chaque fois qu'on appuie sur une touche. Leur père hésite à les faire sortir. Il renonce et profite seul du spectacle : les Orgues de Camplong d'abord, cette haie de pierre dressée là-haut en éventail. Elle boit ses dernières lumières. Une ligne qui semble dessinée au crayon, frontière avec le bleu fauve du ciel. Ici, la nature raconte à l'homme ses limites. On aurait tort de s'y aventurer mollement, d'y parler trop fort. Il ne faut pas déranger le silence des faîtages, trimbaler dans ce petit monde la vaine agitation d'un autre. Il faut se laisser guider par leurs noms. Les Orgues de Camplong… Plus haut, les aiguilles d'Ansabère, à toute crête, qui s'élèvent en canines. Et la Table des Trois Rois, caillou qui déchire la Navarre, l'Aragon et le Béarn. À portée de main depuis les hauteurs de Lescun, il y a enfin l'ombre du Billare, masse ensommeillée au-delà des deux mille mètres. Les sommets pèsent sur la vallée et jouent le rodéo. Ils se gênent vers l'horizon, réclament leur place au soleil. Ils rampent jusqu'au pic d'Anie, faîte ultime qu'on devine dans le lointain. Et tout ce monde est silencieux. Un cirque muet. Il tait même la mort, il éteint chaque révolte. Cette paix est scandaleuse quand on sait qu'en contrebas des hommes s'échinent à vivre de leurs bêtes, du commerce, de longues journées à l'usine. Ils naissent et crèvent. Ils s'attachent à leur vallée et, là-haut, vous continuez à vous taire ? Ici-bas, l'orage gronde. Le gave d'Aspe gronde, et les cloches pour l'angélus, et la noria des camions

17

qui filent vers l'Espagne. Grondent les hommes et leur pays. Tout, sauf les sommets.

Jean a tourné les yeux. Il ne regarde plus le cirque, où l'ombre est désormais totale. La lumière a pourri. Il devine ses enfants derrière lui, noyés dans l'obscurité de l'auto. Il ne supportera pas qu'ils vivent sans lui. Il ne supporte déjà plus. Un autre homme deviendra « papa ». Ils oublieront. Quelle farce d'aimer ! Au bout du compte, ces histoires toujours finissent mal.

La portière claque, et l'auto fait demi-tour dans le bruissement des graviers. Elle redescend sur Lescun, village somnolent. Enfant épuisé qui s'endort dans les bras de la vallée. La route serpente entre les murettes, frôle le dos des maisons. Enfin, passé le fronton, elle se découvre davantage puis se jette dans la vallée en lacets aigus. Une corde lâchée en boule au-dessus d'un puits, qui ricoche contre la pierre. La voiture accélère en ligne droite, reprend son souffle aux tournants. Accélère à nouveau. Et puis le pied ne quitte plus la pédale du diable. La pente est raide, plus longue ici. Bientôt il faudra ralentir et braquer tout à gauche. Troisième vitesse, quatrième vitesse. « Papa... » Une dernière suspension hoquette au moment de verser. La voiture fend l'espace, oublie ses pudeurs. Son saut est léger. Les paquets de biscuits, les bouteilles vides, le capuchon du vieux biberon... Cela danse. Il y aura des rebonds, la chute en cascade. Il y aura le bruit des vitres qui éclatent, de la carrosserie éventrée. Ce qui s'est toujours tu enfin va se mettre à hurler. Puis la vallée étouffera ce grand boucan. Elle aura seulement repris ce qu'elle a bien voulu donner. Tout sera accompli.

★

« Quelques jours avant le suicide, Jean avait ramené son chien à ses parents… Il avait prévu son acte. Anne devait avoir trois ans, et Thibaut sept, ou huit. Je me souviens des trois cercueils dans l'église. Et j'ai célébré cet enterrement terrible. »

Frère Pierre est assis là, sur la chaise en bois du réfectoire de son monastère. Quelques bûchettes dans l'âtre se consument. La matinée est sombre. Le fond de la vallée se noie dans un hiver de pluie et de boue. Un décembre vaseux.

« Je me souviens. Nous avons chanté : "Tout ce qui vient de la terre revient à la terre. Ce qui vient de l'Amour revient à l'Amour." Mais beaucoup se sont braqués contre la femme de Jean. Un homme m'a même dit que j'avais été scandaleux de l'accueillir pour l'enterrement. Alors, sa famille s'est sentie coupable, et son père s'est laissé mourir. Tu sais, ici, le suicide est presque culturel. Lorsqu'on disait aux enfants du catéchisme "Jésus a donné sa vie pour nous", certains répondaient tout de suite : "mais alors, il s'est suicidé ?" »

Ce n'est plus la mort, mais le suicide de Dieu. Et dans la bouche des enfants.

Frère Pierre se lève et va fouiller dans la pièce à côté. Il revient avec le registre qui recense les actes de baptême. Il le pose sur ses genoux et fait défiler les pages.

« Tiens, regarde. J'avais baptisé Anne. C'est son acte de baptême. 12 septembre 2006... Oui, c'est ça, elle avait trois ans. »

Je prends le registre en main. Par réflexe, je caresse l'encre des signatures. Comme si l'histoire que je viens d'entendre l'avait rafraîchie. J'imagine naïvement cet après-midi de joie dans l'arrière-été pyrénéen. Les dragées qui finissent par écœurer les enfants, les familles mêlées. La simplicité aussi, dans cette vallée sans faste. Et puis le cours de la vie qui reprend, jusqu'aux premières disputes. La séparation et ses non-dits. Jusqu'à l'acte choisi, suicide pour soi et pour les autres. Ces signatures, ces gribouillis, le nom de la petite Anne chuchoté dans un coup de stylo... Voilà la preuve matérielle d'existence, cette paperasse minable qui entoure les morts. Pourtant elle nous rapproche curieusement d'eux. Il y a bien eu quelqu'un. Ce n'est pas du chiqué.

Je rends à Pierre le registre. Il le dépose sur ses genoux, recouverts de l'habit blanc des moines prémontrés. Du blanc cassé, même couleur que les derniers cheveux de Pierre, fins, qui débordent sur un visage rond, forcé par un nez busqué. La couperose s'allonge le long de ses pommettes et recouvre une peau épaisse et lourde. Celle des hommes de la vallée. Il y a un silence. Pierre fixe ses mains jointes, posées sur le registre. Puis ses yeux se lèvent, magnétisés par le feu. Nous somnolons, piégés par les flammes et la chaleur du feu de bois. Moi, je suis un peu K.-O. Je viens de prendre cette histoire en pleine gueule. Je devine que Pierre en sait un tas d'autres. Lui, le curé, autour duquel les hommes gravitent. Mémoire des drames et des épiphanies. Plus de drames. Et une terre s'apprend d'abord par ses douleurs. La moindre de ses fissures. Depuis cinquante ans qu'il est le curé de la vallée d'Aspe, frère Pierre les sait toutes. Il baptise, il met en terre. De ces vies qui s'accrochent aux flancs de la montagne, il n'en ignore aucune. Alors je serai à l'écoute de ce guide de l'intérieur. Un temps, je marcherai à ses côtés. J'accepterai de ne pas comprendre et d'être seulement un étranger. J'écouterai la vallée. Le galop incessant de son gave et le froissement des ruisseaux. Je devinerai les derniers arbres d'altitude, si seuls sur le crâne des proches montagnes qu'on peut jouer à les compter. J'accepterai de me perdre dans le dédale des villages. De baisser les yeux en pays étranger. Je suivrai la route nationale là où elle s'enfuit, en Espagne. Mais ma pente la plus raide sera de comprendre comment un homme seul tient ici par sa foi. Pourquoi la souffrance passe en lui comme une timide avalanche sur le dos cabré d'une montagne. Cela est autre. En dedans. Une paix déchirée çà et là par de terribles fracas.

Cette vallée, c'est l'autre bout de mon pays. Et donc déjà le bout du monde. L'étranger. Je l'ai découverte en plein juillet, cernée par ces cols que je venais grimper un à un sur mon vélo. Marie Blanque, Somport, Aubisque par la vallée d'Ossau. La Pierre Saint-Martin et son gouffre. Un terrain de jeux pour les amateurs de l'effort solitaire, du cœur qu'on emballe. La chaleur faisait suinter l'asphalte, le soleil gouttait dans les yeux. J'avais trouvé ce monastère en point de chute. Une chambre de pèlerin où je rangeais ma machine. Et les repas avec ce frère Pierre en bout de table, entouré par ses invités, les pèlerins justement, qui fourmillent l'été vers Saint-Jacques par la voie d'Arles. Je les voyais passer, tous ces gens. S'arrêter une nuit et reprendre leur route vers un autre gîte. Mais j'étais attiré par ceux qui restaient. Ceux pour qui la vallée n'est pas un passage, mais une île. Pierre, les hommes de la vallée, les familiers du monastère... Ces insulaires étaient à leur place dans un monde qui bouge. Devant les pèlerins, ces nouveaux visages, ils étaient comme le temps devant des choses en mouvement. On leur apportait le bruit du continent, la couleur barbare des équipements de marche à pied, des langues d'Europe et puis d'ailleurs. Ils écoutaient, et tentaient quelques mots d'anglais. Fragiles sous leur peau solide, ils s'effaçaient lors du repas. Et puis, une fois le réfectoire vidé, on retrouvait les accents béarnais, les confidences, les récits du pays. Ils seraient mes personnages, ces hommes de la France du dedans. Celle qu'on voit mal puisqu'on lui marche dessus. Dans le chahut des pèlerins et l'existence si dense de curé que je découvrirais, Pierre avait pris le temps de me voir une fois par jour. Quelques dizaines de minutes pour savoir si tout allait bien. Il voulait raconter l'histoire de son église, et de la vallée. Il parlait de Dieu comme d'une évidence dans sa vie. Ces discussions si courtes, je voulais les approfondir, victime de l'époque. Tenté moi aussi par un Dieu qu'on choisit à la carte. Un peu d'espérance, s'il vous plaît. Avec ceci ? Dame nature. Jésus oui, mais pas trop. Et l'Église ? Oh non non, merci. Ce sera tout. Derrière Pierre, je pressentais une foi complète, exclusive. « Une joie indicible » : ce sont là ses mots. Ainsi, l'été de mes vingt-quatre ans, je pénétrais vraiment la vallée pour la première fois. Et puis ceci : l'hiver de ses vingt-quatre ans, en 1967, Pierre s'installait dans la vallée et devenait son curé. Je devais comprendre ces ans et ce monde qui nous séparaient.

Car Pierre a voué son âme à celle du monastère. Ces lieux n'existent que par lui. Il s'est donné, tout entier. Il ne calcule pas, Pierre. Il ne soupèse pas. Un cardinal, un sage, un sportif de haut niveau, je ne sais pas, un héros même… Il est rare que l'un d'eux vive dans l'engagement exclusif. D'ailleurs, Pierre n'a rien d'un héros, d'un quelconque surhomme. Non, il ne surpasse pas les qualités d'un homme. Seulement, il n'a rien gardé pour lui. Il n'a rien mis de côté. Et il montre aussi ses faiblesses. Pierre me confiera sa fatigue, les doutes qui peuvent sourdre d'une trop grosse ambition. Être à la hauteur… Mais qui l'est vraiment, pour tirer un monastère de la noyade ?

J'entendrai Pierre désespérer. Une voix de détresse à faire chialer un bourreau. Je penserai au Christ en pleurs au jardin des oliviers. À ses frayeurs, ses angoisses : « Mon âme est triste à en mourir. » Lui, le Dieu fait homme, trébuchait. Il priait pour s'épargner la souffrance. « Abba… Père, tout est possible pour toi. Éloigne de moi cette coupe. » Et on parlait alors d'un supplice à l'échelle du monde. Comme son Maître, dans l'infiniment plus petit, Pierre aussi se casse la figure. Mais avec Lui, il se relève et enjambe l'obstacle qu'un jour, peut-être, il ne surmontera plus. Non, Pierre n'est ni un héros, ni un surhomme, un jouet sous blister pour gosses en mal d'exploits.

En quittant la vallée pour la première fois, cet été-là, je savais déjà que je reviendrais. J'écrirais.

Ce qui repousse les caméras m'attire. Ceux qui trébuchent, ceux qu'on ne voit pas. J'aime le fond de la classe. Le saccage et le sursaut, la poudrière, le foutoir, la beauté, les rêveurs : tout est au fond, chez les invisibles. Au fond des vallées. Cette leçon, je l'apprendrai aux côtés de frère Pierre. En citant saint Paul, il me dira que la véritable sagesse n'est pas celle du monde : « Si quelqu'un pense être sage à la manière d'ici-bas, qu'il devienne fou pour être sage. » D'un homme clairvoyant, bon père de famille, on dit qu'il a les pieds sur terre. Quel ennui, les pieds sur terre. Et à quoi bon, si on garde le nez dans le sable ?

Les caméras dispersent le bruit du monde... Elles n'aiment pas la lumière parce qu'elles ne la connaissent pas. Le monde veut ce qui brille, et la lumière vraie ne brille pas. Dans la vallée, du moins, on ne la voit pas. Il faut s'arrêter, prendre le temps de chercher. Mais ici, on ne fait que passer. Une vallée est un passage. On fait étape. On ne s'y arrête pas. Et pourtant... cette lumière.

2

L'Oloron-Canfranc me dépose par un tiède après-midi de décembre à Sarrance. L'autocar qui depuis quarante ans remplace la ligne de train, laissée à l'abandon et aux derniers fantasmes de ses défenseurs dans la vallée. Rails et goudron se font face, se dévisagent. Se croisent et s'éloignent. La route nationale et la ligne ferroviaire jouent à qui trouera le plus vite la haute montagne pour verser en Espagne par le col du Somport, rigole qui fait basculer le trafic vers Jaca, Huesca, Saragosse. L'Espagne sèche fait alors mentir la vallée d'Aspe verte et humide. Depuis 1970, le train ne passe plus. Le goudron et ses peintures bitumeuses ont gagné, dans le scandale et les combats militants. Dans le cri furieux des camions qui passent sur la vallée comme sur une prostituée. Pleins gaz, ils montent chercher le tunnel, ou redescendent vers Pau. L'Oloron-Canfranc est un autocar désert. Le conducteur en profite pour augmenter le son de l'autoradio quand on y passe du

Francis Cabrel. Ça vocifère par-dessus les sièges. Je quitte alors le bruit du car et son odeur de désinfectant. Lâché à la grand-route.

La nationale perce Sarrance au côté gauche. Elle sépare le cours d'eau du village, qui s'est réfugié en contre-haut. Un village en escalier, où deux rues parallèles traversent le bourg. Au bout, passé le lavoir et la fontaine, je débouche sur la place de l'église. Un parterre de galets du gave dominé par six platanes grêles, exsangues, trop timides dans leur nudité. Derrière, dans un bruit d'eau gloutonne, je découvre le sanctuaire marial de Sarrance. Ainsi l'église, et le monastère mitoyen. Deux portes. Celle des hommes et celle du Dieu des hommes. Une masse de pierre sombre, la rude pierre de la vallée. Et l'ardoise plus noire encore, couleur d'orage, qui couvre chaque maison et le monastère. Au-dehors, l'air est presque lourd. Pour un mois de décembre, l'hiver ici n'a-t-il pas encore existé ? Alors un vent fiévreux noie l'air. Il balaie la poussière. Des feuilles roulent au sol, râpent contre les galets.

Je pousse la porte du monastère qui donne sur le cloître. Tout est ouvert, enfin. Tout est ouvert dans une société du loquet. Où l'on s'enferme, verrouille. Où l'on imagine que murs et rideaux métalliques, claquements de clenche, vraiment nous protègent. Mais de quoi avons-nous tant besoin d'être gardés ? Du voleur, de l'assassin ? Du pauvre errant ? Ici, point de vigile. On entre et on sort par l'entrée, la grande. On ne frôle pas les murs. Les portes seulement restent fermées pour que l'air ne coure pas.

J'entre dans le cloître, bagage en main. L'heure de la sieste et il n'y a pas un chat. Pierre est le seul moine à vivre ici, prémontré détaché de son abbaye mère et curé de la vallée. Autour de lui, des familiers aident à l'entretien du monastère. Ils passent depuis les villages à l'entour. D'autres, pèlerins en route vers Compostelle, ont arrêté leur marche ici, et restent de longs mois. Ils accueillent les pèlerins qui font étape à Sarrance, ils s'occupent du jardin, nettoient, retapent. Ils prient ou ils ne croient pas. Et un beau matin, aux premiers bâillements de l'aube, ils repartiront par le sentier qu'ils n'avaient jamais vraiment quitté. Ils rentreront chez eux, dans ces familles qu'ils n'ont plus. Ou bien ils élèveront leur marche vers l'Espagne, la Galice en point de mire. Un moment, le gave sera leur bruyant guide. Ils s'enfonceront dans les sentiers chenus, à travers les haies, par les layons en forêt. Ils iront aux pâturages, remettront derrière eux le barbelé qu'ils ont levé. De refuge en refuge, du jour à la nuit, ils voleront là où la terre se finit. On ne répondra plus « bonjour » mais « hola ».

J'apprendrai que pèleriner, c'est aussi savoir s'arrêter. L'arrivée est cette heure que sans cesse on repousse. Et pour s'enfuir, on a la vie. Cette clocharde.

Au premier niveau du cloître, un plancher dévoré par l'eau, je devine une silhouette au travail. Dans une chambre, un homme sature le mur de plâtre, éclairé par un projecteur qui renvoie son ombre. Sur un échafaudage sommaire, une demi-douzaine de verres à café vides sont éparpillés. L'odeur fade, lourde, du plâtre se mêle à celle du tabac à rouler. Je toque en entrant. L'homme se retourne, les yeux écarquillés derrière une fine monture.

« Ah, tu es là ! Oui, c'est ça, Pierre a dit que tu arriverais aujourd'hui. On t'a montré ta chambre ? » Il pose sa pelle et s'avance pour me tendre la main. Le poignet plutôt, comme font les bricoleurs, les garagistes. Je ne connais pas son prénom, que je demanderai plus tard : Alain. Je dépose mes affaires dans une chambre toute simple, au fond d'un couloir qui s'enfonce dans l'obscurité de la pierre. Nous descendons au réfectoire boire un café. Impossible de lui donner un âge exact. On voudrait dire soixante-dix ans. On aurait raison. Des cheveux cendreux en bataille, une peau hâlée battue par les rides, quelques dents en moins. Mais tout dans sa stature, sa démarche inégale, sa voix, son regard fuyant, sa poignée de main hésitante, tout désigne un adolescent. Un garçon qui n'aurait pas fini de grandir.

Alain me bombarde de questions sur mon voyage. La France, il la connaît. Pas une route qu'il ignore. Il sait même plus loin. L'Europe des chemins de pierre, la Scandinavie abîmée dans ses fjords. Les plaines de la Basse-Saxe, leur ennui. Les fleuves qui lacèrent la Hesse et inondent les anciennes villes fortifiées. Gstaad, Genève, cette Suisse trop propre et presque lâche. Il en a vu. Les Latines brûlées par le soleil : l'Espagne des huertas, les arbrisseaux d'Italie. Quand il raconte ses voyages, Alain, on ne l'arrête pas. On écoute. Il était dans le bâtiment et les espaces verts à Douai. Puis il a quitté sa cité populaire il y a dix ans, infestée par la violence. Les boîtes aux lettres saccagées, la voiture volée, les tentatives de suicide de son chef à l'usine… La vie craquait. Alors Alain s'est tiré. C'est lui qui raconte. La marche a été son exutoire. Il a pris la route, de Hambourg à Brindisi. Il a dévoré les bornes. C'était compulsif, enragé. Sa réaction à la violence, son dégoût devant le mal. « J'ai envie de me cacher », glisse-t-il en riant sous des airs affolés. Sans jamais se fixer, Alain s'est approprié le territoire. On croirait pas quand on le voit, mais le voyage, il connaît. L'aventure. Il a couru les marathons, dormi dans les auberges des basses villes, frappé à la porte des abbayes. Alain a côtoyé des cinglés dans sa fuite. Des hommes qui marchaient pieds nus. Jusqu'au sang, sans sac.

« Je te jure, ce qu'il y a comme malades sur la route… » Alain éclate de rire en mimant le fou, l'index sur sa tempe. « Et ici, Pierre, ça arrive qu'il accueille de sacrés timbrés.

31

— Oui, j'imagine...

— T'as des toxicomanes qui traînent dans le coin, et puis tous les allumés qui ont jamais bossé et traînent de gîte en foyer. Moi je te dis, je me méfie, maintenant. »

Alain fait mine de frissonner. Il parle par saccades, le dos appuyé contre le radiateur tubulaire du réfectoire, les mains contre la chaleur. Un silence, puis tout à coup les histoires fusent, qui réclament une réaction pour repartir. Comme l'embrayage. On laisse souffler pour redémarrer pleine bourre. Après avoir épuisé tous les chemins qui mènent à Compostelle, il est tombé sur ce coin des Pyrénées. Il y avait quelque chose. Alors, comme une formalité, Alain a terminé le chemin, touché l'Atlantique, puis il a fait demi-tour pour s'installer dans la vallée. Il vit dans un logement social, et chaque jour il fait du stop pour venir aider au monastère.

« Je crains la ville », prévient Alain. Alors il l'a quittée, la connarde. La ville et sa violence, son foutu boucan, sa haine de l'autre. Mais faut pas rêver. Quand on se met à regarder le mal, on devine qu'il est partout. Même dans la vallée, il s'installe au-dessus de chez Alain, réveillé la nuit par un voisin alcoolique.

« Moi, j'ai appelé Pierre pour lui dire, hein ! Faut trouver une solution. Je peux plus dormir !

— C'est le tapage toutes les nuits ?

— Toutes ! Ils n'arrêtent pas de boire. Et les copains qui passent, le foutoir dans la cage

32

d'escalier quand ils montent et descendent. Dis, moi je peux plus. »

Le ravage est sans limites.

Alain vient mordre un morceau de chocolat. J'attrape le journal, rassemble ses feuilles éparpillées sur la longue table en bois massif du réfectoire. Je feuillette sans conviction le papier, l'information locale, les photographies de petits vieux en noir et blanc. La rénovation d'une salle des fêtes, la visite chez un brasseur artisanal et la maison de retraite qui célèbre ses trente années d'existence... Ici, le journalisme est un service à la personne. Les hommes parlent aux hommes. Et pourtant, j'ai comme l'impression que ce monde ne bouge pas. Faut voir où ils relèguent l'information nationale. Le jeu de hochet des hommes politiques ne s'entend plus, ici. Il n'est plus qu'un vague écho.

Enfin, j'entends une voix forte dans le couloir, et l'accent mordant du Béarn. La porte s'ouvre, laissant passer un habit blanc. C'est Pierre qui entre.

« Te voilà, quelle joie ! » Il me serre la main longuement. « Alain t'a montré ta chambre ?

— Oui, frère, merci.

— Alors, c'est parfait. Sois le bienvenu au monastère. Tu as fait bonne route, oui ? »

Pierre s'assoit un peu et nous discutons de mon arrivée, de mon séjour ici. Dans la présence immédiate de cet homme, je ressens une quiétude installée. La paix de celui qui sort de sa sieste, où l'agitation n'existe plus.

Tiens, je l'imagine à la ville, Pierre. Bousculé par la foule, enfoui dans les transports. Ce serait une anomalie. Il est de ces personnages qui appartiennent à leur décor. À moins que ce ne soit lui qui les possède. Ici, toutes les décisions lui reviennent. Comment pourrait-il se laisser conduire dans une ligne de métro, assis à côté d'un cadre supérieur et d'une lycéenne ? laisser des panneaux électroniques décider pour lui ? Pierre est trop attaché à la vallée, lié à cette société. Et je devine que c'est aussi lui qui leur donne un sens.

Pierre me parle un peu du sanctuaire. D'une voix lente, appuyée et forte. La légende du taureau agenouillé au pied du gave devant une statue de la Vierge, bousculée par le tumulte de l'eau. Alors, les hommes ont bâti. Et l'histoire est gravée dans une chapelle latérale de l'église, autour de la Vierge. Une statuette enchâssée dans un retable, protégée par du verre et drapée d'une longue robe blanc cassé aux plis dorés. Une Marie noire, le visage aplati comme un masque en bois sombre d'art africain. Ici, on connaît les quelques vers du poète du pays, Francis Jammes. Il chante la légende :

Dans le val de Sarrance,
Où les champs étagés
Encadrent les bergers,
L'onde a la transparence
D'un air toujours léger.

Or, près d'un lit de pierres
Que recouvraient les eaux,
Le plus gras des taureaux
Semblait être en prière,
À genoux, les yeux clos.

Son maître tout de suite
Alla chercher non loin,
Pour le prendre à témoin,
Un qui pêchait des truites
Et qui aussitôt vint.

Et tous deux sur la berge
Se penchant voient au fond
Du gave peu profond
L'image de la Vierge
Qu'ici nous honorons.

Nous quittons le réfectoire pour rejoindre
l'église. Les galeries du monastère sont déjà obs-
cures dans l'après-midi en déclin. On approche
du solstice d'hiver, des jours sans lumière. Au
premier niveau du cloître, une porte cousine avec
l'église, qui donne sur l'orgue et surplombe la
nef. À quelques jours de Noël, il faut changer une
ampoule grillée pour l'organiste qui vient jouer
ses premières notes. C'est le fils du pharmacien
de Bedous, un grand gars qui connaît le piano.

Il dépoussière l'instrument, muet toute l'année. Une locomotive qui respire seulement pour les fêtes liturgiques et fait souffler ses tuyaux. La mécanique se remet en marche, lentement. C'est la machine à l'arrêt, en torpeur, qu'on réveille par quelques coups sur les claviers. Enfin les wagons sont lancés, l'air comprimé fonce au sommier. Et les tuyaux recrachent leur haleine sous la voûte lépreuse de la nef. L'église taiseuse se donne des allures de cathédrale. Tout chante dans l'obscurité. L'orgue réveille d'anciennes légendes, réclame déjà Noël. Il dérange la nuit qui plonge dans la vallée. Ce noir mauvais d'hiver, trop long, presque scandinave. Pierre laisse faire. À l'évidence, il ne cherche pas à tout contrôler. Chacun est à sa place, encore. Il me laisse finalement. Nous nous reverrons plus tard, « pour le souper », dit-il.

Je rejoins le cloître où, par le balcon, je vois le ciel embrasser les sommets. Il verse comme un cachet qui glisse dans un verre d'eau. Le ciel se dilue, épouse.

Ces deux taches noires se mêlent et chuchotent leurs histoires d'altitude, leurs messes basses. Plus bas, nous pourrissons dans l'ignorance. Je descends dans le village, sentinelle au pied de la vallée. Derrière moi, l'orgue n'est plus qu'une idée assourdie. Sur la rue éclate la lumière bleuâtre des écrans de télévision. Elle s'évade par la fenêtre des maisons. Il y a un peu de ville dans ces images artificielles. Une ville

36

sitôt étouffée par l'odeur de la forêt en lisière. Terre macérée, feuilles moisies. Bois trop mort. Derrière ces baraques, le roulement de l'eau rappelle l'écho lointain du périphérique. Le passage des camions devient rare. J'aperçois leurs phares blêmes qui balaient le fond de vallée.

Je retrouve le réfectoire pour le dîner, à dix-neuf heures. On boit la soupe en silence, après que Pierre a béni le repas. À sa gauche, Albert noie son pain dans l'assiette. Vieux prêtre à la retraite, il est arrivé au monastère il y a deux ans. Pour finir sa vie ici, auprès de Pierre. On entend seulement le tintement de la vaisselle, quelques toux. Alain, taché de plâtre, mange recroquevillé sur son plat. Pierre le raccompagnera avec la voiture du monastère. Et il y a d'autres familiers que je ne connais pas encore. Xavier notamment. Il est à la retraite, après de pénibles années à l'usine Toyal. La seule de la vallée. Au pied de Lescun, cernée par la montagne, Toyal produit pâte et pigment d'aluminium. On se demande comment une entreprise survit sur un terrain si périlleux. Certains l'auraient déjà éjectée dans une plaine misérable, autour de Pau ou Oloron. Au milieu de ces zones industrielles qui bouffent l'air et cloisonnent les villes moyennes dans un bardage de hangars écœurants. Xavier est sorti du ventre de Marie Blanque, le col qui fait face au monastère. La ferme familiale là-haut. Celle qu'on désigne du doigt sans vraiment la voir. Il est de la vallée, plus que jamais. Et il sait ce qu'elle doit à Pierre. Tour à tour chauffeur, sacristain, cuisinier, il est un des fidèles du monastère. C'est un doux, Xavier. Un doux qui peut aussi exploser, on le devine. Une fois où nous parlions de politique, les freins ont lâché et Xavier s'est emporté. Il finira ainsi sa colère : « C'est à croire qu'ils n'ont pas retenu 1789... » Ici, chambres et ministères sont des lieux de honte. Des vases clos à foutre en l'air. Sans la télévision et le frigidaire, l'insurrection aurait déjà fait couper des têtes.

Après le dîner, à complies, mes hôtes chanteront le cantique du vieux Syméon. Ils partiront se coucher comme si c'était leur dernière nuit. Être prêt, toujours. La dernière cloche alors claquera. Et comme si elle vidait le gave, elle rendra le silence définitif.

3

« Je suis arrivé dans la vallée le 31 janvier 1967. Ici exactement, au presbytère de Bedous. »

Après quelques manœuvres délicates dans les rues étroites, nous débouchons sur la place du village, irrégulière, où les voitures se garent comme elles peuvent devant la mairie, affalée. Une araignée apathique allongeant ses pattes arquées sur la place. On déambule sous son ventre, dans une galerie qui sent les fins de marché et la pierre mouillée. Derrière la mairie, à vingt pas de l'église, le presbytère est une maison blanche. Celle que dessinerait un enfant du village sur papier Canson. Cinq fenêtres découpées en carreaux, bordées de persiennes vertes rangées sagement dans leurs arrêts. Cinq marches irrégulières grimpent vers un jardinet où des ifs coincent le presbytère, tache blanche retranchée dans tout ce vert, et débordent sur le seuil des premières fenêtres. Pierre s'arrête lors de ses manœuvres pour saluer un paroissien, klaxonner brièvement. « Son papa à lui est un Indien de Martinique, raconte-t-il après un nouvel arrêt devant un vieillard à la peau d'enfant, alerte dans un long imperméable. Il est né en 1927, tu te rends compte ? » Même ceux qu'on ne voit plus à la messe du dimanche, Pierre les connaît. Voilà près de cinquante ans qu'il a quitté le grand séminaire de Dax pour s'installer à Bedous. « Longtemps, la vallée a été jugée trop dure humainement pour qu'on y mette un curé seul. Pourtant, aujourd'hui, c'est un luxe d'avoir un prêtre pour deux mille deux cents habitants. »

Tous les gestes de Pierre sont lents. Une délicatesse sans calcul. Ce ne sont pas les premiers ralentissements d'un homme de soixante-quinze ans. Seulement cette grâce qu'on retrouve aussi chez quelques longues femmes élégantes et parmi les danseurs. Où le mouvement est l'expression d'une paix intérieure et d'un cœur au repos. Ces personnes qui n'élèvent pas la voix, préfèrent se taire plutôt que de se faire entendre à tout prix. Les hâbleurs de comptoir et procureurs d'autobus y voient des « soumis » et des « trop sages ». Des gentils qui tout acceptent. Car aujourd'hui, ne pas ouvrir sa gueule pour aboyer est un aveu de faiblesse. Certains ont pourtant choisi le silence, et leur parole est précieuse. Quand ils parlent, c'est avec leur cœur. Tout est au cœur, à l'organe sensible. Pourtant, il ne faut pas croire que rien ne les atteint. Chez eux, passion et douleur existent. Mais les humeurs se jouent entre eux et un autre. Leur cœur est une grande inconnue.

Nous quittons la voiture et, avant d'entrer dans l'église, Pierre poursuit : « Je couvre douze communes et dix-sept églises. Et je te le dis, c'est un luxe. Le curé de Limoux, dans l'Aude, a la charge de quatre-vingt-trois communes et près de quarante mille habitants. Tu vois que j'ai de la chance ! »

Je laisse Pierre un moment à ses occupations, dans la sacristie. Je m'assois sur un banc au fond de l'église. La salle d'attente du pauvre, sans néons ni *Paris Match*. Mais une odeur de cierge consumé, et les premières décorations de Noël. Devant la statue de la Vierge, au bout d'une allée latérale, une femme tricote la laine déposée sur ses jupes. Il n'y a pas un bruit, et l'on devine seulement Pierre qui s'affaire derrière le chœur. Le plastique rouge des bougies danse aux tremblements de la flamme. Dehors, l'éclat fatigué d'un klaxon et les sages mouvements de la vie du village que les murs de l'église étouffent. Et cette vieille femme qui tricote sur sa chaise en paille. Elle fait jouer les aiguilles, son chapelet à elle. Tant qu'elles garderont leurs portes ouvertes, les églises resteront cette terre d'asile, une sébile d'intentions. On vient chercher la protection à l'ombre des statues à la peinture fanée. Leur visage baissé supporte un regard triste, la lassitude des années qui passent et de la poussière qui

41

pleut. L'homme a créé les statues pour qu'elles supportent ses tristesses. Dans cette pierre froide, certes, il ne reste plus au temps que les plaques votives, les cierges brûlés au pied des saints, les fleurs déposées à la Vierge. Mais il y a aussi une violence pesante, et ces poings levés contre Dieu. Lui qui n'empêche pas la mort, Lui qui permet le suicide, emporte même les gamins. Lui qui, malgré les yeux levés au ciel, laisse l'orage grêleux anéantir les récoltes. Alors l'église devient aussi un lieu de vengeance et de prie-Dieu renversés. Elle n'est pas un temple hors du temps, un espace zen avec désodorisant oriental et tapis mousseux pour cours de yoga. L'église est dans la ville comme une mairie, un bureau de poste et un bar-tabac. Par les hommes et pour les hommes. Lieu de paix et d'infinie violence.

Passé les deux marches qui grimpent au chœur, je découvre la petite sacristie sur la droite. Il y a une dame aux côtés de Pierre. Un peu courbée, nerveuse, elle pense tout haut, parle pour elle.

« Andrée, je te présente un ami. »

Pierre me prend doucement le bras. La dame s'affaire dans le chasublier, de dos.

« Andrée ?

— Oui, mon père ? » Elle se retourne, m'aperçoit.

« C'est un ami de Paris qui vient passer un peu de temps dans la vallée.

— Ah, bonjour, monsieur. »

Andrée me serre la main, d'une petite main creuse et sèche. Dans son geste, elle fait tomber une aube.

« Attendez, je vais vous aider. »

Je n'ai pas le temps de me baisser qu'elle a déjà fait l'aller-retour. Je manque de la heurter. Andrée retourne à ses chasubles. Elle se plaint : « qu'est-ce que c'est ça… », « qu'est-ce qu'ils m'ont fait… », « je vous jure… ». Pierre sourit.

« Regarde si je ne suis pas bien entouré ! Elle est brouillonne, Andrée, mais elle s'occupe de tout dans cette vieille sacristie. Attends, je récupère une chape qui me manque à Sarrance et on y va. »

Autour des armoires, on a déposé de vieux accessoires, du bois assourdi par la poussière. Des tabourets de chantre, des bougeoirs, une bassine, une croix chancelante… C'est un petit monde qui pourrit dans son coin. Il attend son heure. Et son heure ne viendra plus. Quand les églises se vident, les sacristies se remplissent.

« Tiens, tu connais le sens de ce buste ? »

Pierre attire mon attention sur une sculpture couleur d'ivoire, déposée en hauteur, sur le chapier. Le buste est celui du Christ, le visage baissé sur le côté. Le crâne persécuté par les épines. On ne voit pas ses yeux, bien sûr, mais on les imagine vidés, hagards. Sur la taille est gravé : *Ecce homo*.

« *Ecce homo*… C'est "Voici l'homme". Mais je ne saurais pas dire où cela apparaît dans l'Évangile. »

Pierre alors reprend, les yeux toujours levés vers le visage :

« Ce sont les mots de Pilate lorsqu'il présente Jésus à la foule. Ils le condamnent, et pourtant, tu ne trouves pas ces mots magnifiques ? Tout est là. Voici l'homme... Voici le Dieu vraiment homme, qui meurt pour vous sauver. »

Nous restons un moment, une poignée de secondes, les yeux rivés sur le buste. Matériau insignifiant. Beau ? Sûrement pas. Mais il a un sens qui nous dépasse. Des mots si simples qui poursuivraient les hommes. La poésie dans la bouche des bourreaux.

Nous laissons Andrée. Elle s'inquiète déjà de l'état de la crèche pour Noël.

« Non mais c'est vrai, ils ont fait ça n'importe comment...

— Qui ça ?

— Eh bien, les enfants du catéchisme ! »

Pierre jette un coup d'œil devant l'autel, et prend l'épaule d'Andrée. Sa voix est forte, résonne dans la nef. Une voix forte alanguie par la tendresse, pleine de douceur.

« Mais non, elle est très belle, cette crèche, sœur. N'ajoute pas de nouveaux soucis, veux-tu ?

— Tant pis, ils auront une étable branlante pour leur réveillon.

— Mais non, mais non. Allez, Andrée, on se voit dimanche. »

Pierre embrasse Andrée. Je serre la main creuse et sèche. Sur le parvis, une lumière acide crible la couche cotonneuse des nuages, pique les yeux et fait hésiter les paupières. Un vent sec d'avant l'orage emporte la poussière, étire la peau et la gerce. Pas une neige à l'horizon là-haut, et nous sommes déjà à la moitié de décembre.

Nous montons en voiture. Pierre achève une discussion au téléphone avant de mettre le contact. Il faut oublier l'image du curé de campagne sans portable et en paix. Le téléphone sonne sans arrêt et nous oblige à garer la voiture sur le bas-côté. On appelle Pierre pour se plaindre d'un voisin alcoolique, d'une voiture tombée en rideau. Il faut acheter des hosties sans gluten, songer aux feuilles de chants pour la messe des enfants, visiter Untel qui sombre dans la dépression… Le catalogue est long.

« Les gens appellent comme si tu étais le curé uniquement de leur village, mais il n'y a pas qu'une paroisse, ici ! » Pierre soupire. « J'ai connu les quatorze derniers curés de la vallée. Et puis les églises se sont vidées. Longtemps je me suis dit, après mon arrivée, jusqu'à quand va-t-on continuer à faire comme si…

— Comme si ?

— Comme si les gens croyaient ! Et je ne te parle pas de l'Église… L'Évangile n'est plus sa première motivation. Je garde en tête le chapitre 18 de Luc : "Mais, quand le Fils de l'Homme viendra, trouvera-t-il la foi sur la terre ?" »

La voiture s'enfonce en haute vallée. Le pays devient plus raide, se cabre, et la nationale louvoie entre la pierre turgide, ces bouffissures hâlées qui surplombent le bitume. La montagne ouvre grand la gorge, fait voir sa gueule humide. On sent ses premières haleines. Nous allons visiter la famille d'un mort dans un village des hauteurs, avant l'enterrement prévu le lendemain.

« On ne peut plus faire comme si les gens avaient la foi. Il fallait bien s'en rendre compte. » Pierre rompt un long silence.

« Le premier scandale était aussi dans notre assemblée dominicale. Et je me souviens de la parole d'un prêtre et de sa constatation désolante : "Pierre, tu avais raison. Les gens de ce pays n'ont pas la foi..." Mais la vallée s'est étendue à la France entière, tu sais. Ce que je te dis là est valable partout désormais. »

Pierre parle de la foi avec la simplicité des choses de la vie. Je ressens tous ses doutes. Faire comme si... C'est vrai, on peut passer sa vie à faire comme si. Faire comme si, ce serait ne vivre pour rien d'autre que pour soi. Malgré tout, Pierre veut la donner, sa foi. Partager la beauté. Il ne supporte pas qu'une porte se ferme devant les autres. Quand nous marchons dans l'église, ou le cloître, et qu'un visiteur ouvre la porte, hésitant, aussitôt Pierre se précipite : « Venez, venez ! » Certains s'en vont, apeurés, dans la crainte de devoir rendre quelque chose à Pierre s'ils entraient. La carte bleue a contaminé nos plus simples réflexes. Elle condamne l'intuition. On pense que les cœurs réclament une compensation. La générosité devient suspecte. L'acte gratuit n'a jamais coûté aussi cher.

Nous quittons la nationale sur la gauche, par un tunnel noirci qui se vautre sous les rails du chemin de fer. S'élève alors la route, périlleuse, en courts lacets à travers les champs bordés de barbelés, de halliers qui s'affolent à travers les clôtures. En levant la tête au ciel, on devine les premières habitations, éparses puis agglutinées comme un troupeau de bêtes apeurées. La voiture paraît surgir en reître furieux, dégommant la quiétude navrante d'un village narcoleptique. Même les chiens nous accueillent en silence. Et une fois la voiture rangée, ils reniflent nos bas avec des yeux bilieux qui mendient.

Le village s'égare dans la torpeur de l'après-midi. Les montagnes sont les dernières qui attrapent le jour vanné. Le vent fait trembler le filet d'un panier de basket fixé au mur. Plus loin, un Airstream est avachi dans un jardin, encerclé par les herbes folles. La rouille bouffe la peinture métallisée et condamne les vitres embuées. C'est une vie vagabonde qui s'épuise, des routes qu'on ne prendra plus. La bohème dévorée, clôturée au fond d'un jardin.

Après de brefs coups contre la porte, on vient nous ouvrir. Un homme nous fait asseoir dans la salle à manger, jaune écarlate sous la lumière de l'ampoule. Il sert un café brûlant, et Pierre discute avec lui. Ils parlent du mort, le père de notre hôte. Pierre doit en savoir davantage sur sa vie pour préparer la messe d'enterrement.

« Vous savez, monsieur le curé, papa... l'église, c'était pas vraiment son affaire. Il y avait autre chose que la messe, le dimanche matin. Je m'occupais des bêtes avec lui. Il y a bien des fois où nous allions à l'office, mais dès que la messe n'a plus été dite au village, on ne s'est plus déplacés. Alors si, pour Noël de temps en temps, et chaque année à la Toussaint. Mais voyez, monsieur le curé, papa a toujours voulu qu'on l'enterre dans la religion.

— Tu sais, ce sont les vivants qui enterrent. On parle de la messe des morts, mais c'est davantage pour les vivants que nous célébrons la messe. Quel sens donnons-nous à la mort, et quel regard portons-nous sur notre propre mort ? Peu importe si tu crois vraiment que ton père vit avec Jésus et qu'il a retrouvé ta mère au ciel. Il faut une foi inouïe pour en être sûr. Cet enterrement doit, à toi, à nous, être un rappel à notre finitude. Un jour, notre vie sur terre prendra fin. Sommes-nous prêts, frère ? Sommes-nous prêts à lâcher la barre, à cingler vers le large, vers ce

Quelque chose après la vie ? Alors, frère, préparons la messe pour ton papa, et rappelle-moi comme sa vie fut belle. »

Les mains serrées contre la tasse de café, Pierre et l'homme se font face, droits, accoudés sur la nappe en plastique. Les silences deviennent rares. La cafetière toussote sur la commode. Par la porte qui donne sur le salon plongé dans l'obscurité, on entend les rumeurs de la télévision. Un jeu de questions-réponses interrompu par quelques applaudissements et les messages publicitaires.

Je les laisse parler dans l'intimité, et choisis de faire quelques pas dans le village. Pierre me retrouve vingt minutes après. Nous montons en voiture. Les chiens ne se lèvent même plus pour quémander une caresse. La terre reste muette dans ses draps que la pluie s'apprête bientôt à salir. On devine déjà l'obscurité, et l'orage, prêt à accoucher, donne à la vallée les teintes d'un diamant. Je commence à trouver mes repères : une gare désaffectée au bord de la route, un tunnel qui perce le rocher, une centrale EDF. Et toujours le gave qui roule à nos côtés.

Au volant, Pierre poursuit mon instruction du pays.

« Dans un village de la vallée, un berger avait demandé au curé de jurer devant lui de ne pas l'enterrer à l'église. Il ne voulait pas de sacrements, pas de cérémonie. Évidemment, c'est dur pour un prêtre d'entendre un homme préparer sa mort sans Dieu. Mais il lui a promis. Lorsque le berger est mort, sa femme est venue voir le curé pour la messe d'enterrement. Et tu te rends compte que c'est le curé lui-même qui lui a dit : madame, nous ne célébrerons pas la messe pour votre mari. Je le lui ai promis. Quelle douleur pour le prêtre, et pour cette femme aussi… »

Je pense tout de suite à l'instituteur révolutionnaire d'un livre d'Alain Chany qui répond à son « abbé-directeur » : « Dans mon village, quand on parle de là-haut, ce n'est pas du paradis, c'est du cimetière. Il surplombe la vallée. »

Et pourtant, je devine le caractère trempé de ce gars des montagnes bien décidé à ne pas se laisser enterrer dans un rite qu'il a fui. Mais il y a autre chose dans cette manière courtaude. Un homme qui va jusqu'à rencontrer son curé, et lui demande de promettre avec lui… c'est déjà un peu de foi. Du pas grand-chose peut-être, de l'éparpillé, du mal placé. Mais si ce bon Dieu ne l'intéressait vraiment pas, et si la mort n'était qu'un geste après l'autre, il l'aurait attendue au fond du canapé. Il n'aurait pas levé ses yeux défiants au Ciel. À l'approche de la mort, tous nos pas sont boiteux. Car l'assurance devant le désastre est vaine, un jeu de feintes maladroites.

« Dans le temps, quand il y avait un mort, la famille ne devait surtout pas quitter son toit. C'était impensable, même. Les membres de la famille devenaient "les affligés". Alors, les voisins s'occupaient de tout : nourrir les bêtes, prévenir le curé, aller à la mairie déclarer le décès. Ça aurait été une offense, alors que la mort frappait une maison, de continuer à s'occuper du bétail ou des tâches administratives. C'est la vie qui s'arrêtait. »

Je songe à mes morts dispersés dans quelques cimetières de France. Ma vie s'est-elle arrêtée quand ils se sont tus ? Il y a bien eu certaines idées naissantes : le vide des objets, la place des inutilités autour de moi, le non-sens des relations obligées.

Le deuil devrait me pousser au bord de l'abîme. Mais une fois la fosse calculée, je m'agrippe à la vie comme le chat affolé se raccroche de toutes ses griffes au bord d'un bassin. Ne pas tomber surtout, ne pas se mouiller. Alors, le deuil devient une foire de complications, et l'enterrement un rendez-vous parmi d'autres. Une cérémonie trop longue. Pourtant, la mort vient dire que la vie est anormale. Qu'au fond, on ferait bien de se poser quelques questions. On est condamnés, ce n'est pas rien. Et le deuil lance une alerte. Une époque que la mort envoie en éclaireur. Ceux qui arrivent à « profiter » de la vie sans y penser ont bien de la chance. Jusqu'au jour où ça tape. Comme la foudre. Elle tombe toujours à côté. Elle ébranle les murs d'une bergerie exposée, fracasse un chêne qui se prenait presque à voler. Elle claque au loin, la vorace. Jusqu'au jour où ça tape. Le deuil raconte qu'on n'est jamais à l'abri du bon paratonnerre. Et puis il me ramène à ma solitude. Je suis seul. Tiens, je me souviens de mon premier été noir. J'avais dix-huit ans et juillet puait la mort. Ma première rencontre avec elle avait les traits d'une jeune fille. Celle-ci, si proche, si belle, disparaissait d'un coup. Dans le souffle du camion qui broyait son deux-roues, la mort m'ôtait le droit de l'aimer vivante. À dix-huit ans, on ne comprend pas qu'on nous arrache cela. Faire le deuil, c'était accepter. Accepter seul. Même la mort d'une amie commune ne se partage pas. Avec les copains, on pleurait ensemble, pathétiques, en exhumant les souvenirs de l'autre. Mais nous étions seuls. Le deuil est le temps sacré de l'égoïsme. Le temps s'était arrêté. Une trêve avec la vie matérielle. Puis le quotidien m'a dévoré. Je ne pensais plus à ma morte. Les larmes avaient coulé, toutes. Avais-je accepté, oublié ? « Réussi » mon deuil ? Août étouffait un juillet poisseux, et ravaudait ces mauvais souvenirs. Dans la crise, les autres étaient un paravent. Il s'était déchiré trop vite. Et la famille n'était qu'une couverture sur un feu de forêt. Car l'eau seule éteint l'incendie. Elle coule dans nos mains, s'échappe entre les doigts. Cette grande invisible charrie tout, désaltère et lave. Et dans ma cage, elle est la seule capable d'étouffer le sinistre. Mais puis-je faire confiance en cela même que mes sens ne devinent pas ?

Nous perçons la vallée, dos aux montagnes. Le ciel obèse ne demande plus qu'à craquer. L'air a la fièvre. Les camions en route vers l'Espagne nous croisent dans un hennissement. Ils allumeront bientôt leurs phares dans cette fin d'après-midi malade et sans ferveur. Sur le bas-côté après Bedous, des grappes d'ouvriers s'affairent sur l'ancienne voie ferrée.

« Ils travaillent sur le chemin de fer ?

— Oui, ils remettent le train dans la vallée. »

À travers la fenêtre, je devine le rail lourd qu'on dépose sur le ballast, les traverses entassées. Les pelleteuses font savoir leur bruit obsédant, et plongent leur trompe dans les entassements de pierres concassées. C'est une fourmilière casquée, jaune électrique, qui se démène dans ce décor trop vaste pour elle.

« Comme beaucoup dans la vallée, je me pose quelques questions, quand même... Le retour du train coûte des dizaines de millions, mais on ne sait pas qui va vraiment l'emprunter. L'idée, c'est de désengorger la nationale.

— La ligne va jusqu'en Espagne ?

— Pour l'instant, elle part d'Oloron et s'arrête à Bedous, répond Pierre, qui ne quitte pas la route des yeux. Mais oui, la ligne monte jusqu'à Canfranc, derrière le col du Somport, en Espagne. Je crois qu'à plus long terme ils veulent pousser le train jusqu'à Canfranc. »

À l'abandon depuis 1970, les viaducs en roche

noire porteront à nouveau les wagons sur la vallée. On plongera par les tunnels rénovés, les anciennes gares squattées se relèveront du purgatoire où on les avait jetées. Le rail déchirera le bitume. Les passages à niveau barreront la route. Mais tout le monde sait bien que le train n'empêchera jamais les voitures de rouler. Et je doute que les camions déposent un jour sérieusement leur marchandise sur le rail. L'histoire du train fait partie de la vallée. Un attachement romantique, à l'heure du grand réalisme. Je découvrirai que pour certains, même, le train est la cause de toute une vie.

Le téléphone de Pierre sonne encore. Nous abordons le monastère, et l'orage montre enfin son visage. Quelques lourdes gouttes s'écrasent une à une sur la vitre comme des fruits pourris.

J'abandonne Pierre, dans le désordre qui précède une tempête. Où on rentre les épaules pour ne pas se faire totalement arroser. Les montagnes à l'entour sont plongées dans une obscurité définitive. La Marie Blanque, vautrée comme un chien assoupi, accepte l'orage et ses avatars. Elle prête son nom au col qui étire la route de la vallée d'Aspe à la vallée d'Ossau, par le plateau du Benou. La pluie cascade. Dans ce décor de suie dégoulinante, je me rappelle justement l'histoire de Marie Blanque. Dans la vallée, à la fin du XVIIIᵉ siècle, cette femme venait pleurer aux enterrements. Elle chantait ses *aurosts*, des odes funèbres criées à la mémoire du mort. C'était l'heure où les veuves faisaient mine de se jeter dans la fosse, où on abaissait la bière de leur mari. « Je ne veux pas rentrer à la maison, je veux rester avec toi ! » gémissaient-elles sous leur voile de deuil, retenues par les femmes du village. « Je t'accompagne... », murmuraient-elles enfin dans un dernier regret.

En ce début de soirée, la Marie Blanque se lamente encore, grande femme drapée de noir, noyée dans l'eau qui déborde du ciel. Et le cloître veille, malmené par la pluie qui ricoche sur les galets dans un bruit de cataracte. Enfin, on vient sonner la cloche pour les vêpres, office de la soirée.

4

Au réveil, le monastère apparaît, tel un navire en dérive après une avarie. On croirait qu'il glisse sur l'eau, par le gave débordant, vers le bas de la vallée. Je jette un bref coup d'œil par la fenêtre. Tout est là, sous la pluie qui ne cesse pas. La place de l'église et ses platanes étiques. Le bitume gorgé d'eau n'est plus qu'une ardoise fondue. Je quitte ma chambre pour rejoindre la chapelle. Les cloches ont claqué pour huit heures, annonçant les laudes. À l'étage où nous dormons, un long couloir rallie le premier niveau du cloître. Des bassines sont éparpillées pour piéger l'eau en fuite qui perle du toit.

Dans la chapelle, Pierre est en prière, la tête abritée sous la capuche de son habit. Ainsi que le vieil Albert, les yeux clos, toujours assis à la même place. Le silence néglige la pluie et son vain bruit.

Où donc aller loin de ton souffle ?
Où fuirais-je loin de ta face ?

> Je gravis les cieux : tu es là ;
> Je descends chez les morts : te voici.

Dans une langue accidentée, les psaumes sont chantés. Oh, c'est une prière bien pauvre et maladroite, cette poésie des hommes vers Dieu. Mais voilà une paix retrouvée après la nuit et ses colères. Ici, les mots sont un premier pas. Les psaumes leur donnent une magnificence. Pas un qu'ils laissent au hasard.

> J'avais dit : « Les ténèbres m'écrasent ! »
> Mais la nuit devient lumière autour de moi.
> Même la ténèbre pour toi n'est pas ténèbre,
> Et la nuit comme le jour est lumière !

L'office ne dure qu'une vingtaine de minutes. Alors que je dormais encore, avant le lever du jour, Pierre déjà avait chanté pour matines. S'il est le seul chanoine ici, il ne veut pas abandonner le rythme des heures. Et lorsqu'il s'absente en journée, il demande à Albert ou aux familiers de faire vivre la chapelle. Donner au monastère son sens. C'est une image bouleversante que de voir Albert prendre ses responsabilités quand Pierre n'est pas là. Le vieil homme cherche ses mots, remue longuement les pages de son bréviaire, oublie parfois une incantation. À quatre-vingt-dix ans, chaque mot chez Albert est devenu une barrière à franchir. Mais sa présence seule suffit, qui répand la paix sans le savoir.

La générosité de certains hommes dépasse leur propre volonté. Elle donne une idée du bonheur.

Dans la salle à manger, je prends justement mon petit déjeuner avec Albert. Il faut encore le halo des ampoules pour bien voir. Les fenêtres en hauteur, comme des soupiraux, dessinent un ciel valétudinaire, navrant, qui se refuse toujours à la lumière. Albert boit une eau chaude dans laquelle il trempe des morceaux de pain. Il a gardé son manteau sur ses grêles épaules. Le béret est déposé sur la table. Quand il lève les yeux à l'approche d'une question, il paraît sourire, tant son visage entier se déride. Ses longues rides s'ouvrent sur cette peau pâle, cireuse, presque exsangue. Albert est du Béarn, où il a été ordonné prêtre en 1951. L'accent du pays cogne si fort sur sa langue qu'il pourrait être originaire d'un pays de l'Est. Ses fins de mot sautillent, le « m » et le « n » rejinguent. Les lettres râpent dans sa bouche où le français semble être une difficulté. Je m'amuse alors quand Albert fait remarquer mon accent. La bouche trahit un pays. Ces mots en commun que nous prononçons autrement. On pourra parler de saccage quand la génération Hanouna aura détruit sa langue, cariée par le langage télévisé et ses slogans. Et si je me fie aux repères culturels, aux messages publicitaires qui m'entourent, je suis plus proche d'un Londonien ou d'un New-Yorkais que d'Albert. Là-bas, derrière l'Atlantique, ils ne parlent pas la même langue que moi, certes. Mais nous partageons le même langage. Celui des marques, des icônes télévisuelles. Cette grande culture mondialisée distribuée en douceur à domicile. Plus rapide encore que le livreur de pizzas américaines. Formidable. Hourra. Le biberon de l'enfant sage.

Albert me raconte son service militaire à Paris, à la fin des années 1940. Il se souvient de l'aéroport du Bourget, de la porte de Pantin qu'il traversait pour rallier Paris. « Ça existe toujours, ça, non ? » me demande-t-il sans assurance. Albert fait alors tout un cas des portes à Paris : porte d'Aubervilliers, porte de Saint-Ouen, porte de Clignancourt... C'est comme si Paris devenait une forteresse. J'hésite à lui répondre qu'aujourd'hui le périphérique leur crache dessus. Qu'on a construit des cabanes en tôle sous ses ponts et que Paris aussi a ses favelas, une misère qui grouille, de la boue jusqu'aux genoux. Il la reconnaîtrait plus, Albert, la route de Paris au Bourget.

Enfin, nous nous mettons ensemble à la vaisselle. Albert enfile son tablier, remonte ses manches, et plonge lentement ses mains dans l'eau chaude.

Malgré la pluie qui s'effrite de ce ciel d'airain, je décide d'une promenade autour du monastère. Il faut quitter les galeries du cloître, ces lames glacées qui figent les os. Les pierres polies, épaisses, contiennent le froid et laissent le vent s'infiltrer par bourrasques. Dehors, le jardin est un marécage, une herbe vaseuse cabossée çà et là par les taupes. Je lève les yeux vers les hauteurs, où la pluie se déguise en flocons. Ça y est, la neige est enfin là. Elle s'approche. Apeurée, prudente comme la marée montante, elle nappe progressivement les sommets à l'entour. La neige n'est pas sûre d'elle. Hésite à rester. Elle prévient seulement. Qu'on ne l'oublie pas. Et avant midi, elle ne sera plus qu'un misérable jusant, désespérée par la température qui refuse de chuter.

Un calvaire surplombe Sarrance, qui commence dès le jardin du monastère. Abandonné à mes pensées fuyantes, je suis le sentier. Il court d'abord contre un mur, jusqu'à la chapelle Sainte-Marie-Madeleine. Un abri d'une dizaine de mètres carrés. À peine. Halte. Je respire. Sur un autel, une statue vernie de la prostituée convertie élève son regard. Elle l'abandonne. Marie la protectrice des paumés, des salis. La grande sœur des cœurs brisés. Celle qui tout rachète, et console. Par un portail en bois, je continue ma route vers le calvaire. Le sentier s'enfonce dans la forêt, abrupt, périlleux. Quelques marches brisées, une piste boueuse, et des bogues de châtaignes comme autant de pièges sur cette route louvoyante. Les croix se dressent comme des arbres en métal rouillé. La peinture blanche a fané. Retenue par des mâts en bois mort, une clôture branlante de barbelés exfoliés protège d'un léger ressaut. Enfin, le souffle coupé, les muscles contractés par les embûches, j'arrive au faîte du calvaire. Une dernière croix pareille aux autres. Cernée d'herbes folles. Je m'assois sur une marche et regarde. Plus bas, les camions-citernes qui défilent sur la route nationale n'ont même pas la taille d'un doigt. Ils fuient avec dans leur sillage une demi-douzaine de voitures prêtes à s'écarter pour les déborder. Plus loin, j'entends le tumulte des travaux sur la voie ferrée. L'aller-retour incessant des pelleteuses qui piaulent, l'alarme stridente des marches arrière. Ce matin, dans le journal, on annonçait que le train s'arrêterait bien en gare de Sarrance. On a comme le sentiment d'un retour aux premières heures du rail. L'arrivée de la civilisation, du progrès. Un changement des comportements et des usages. J'essaierai d'en savoir davantage sur cette histoire. Car il y a bien des mystères autour du chemin de fer, des orbes du rail qui s'enfoncent dans les montagnes, jouent avec la pierre. Et puis cet accident fatal un jour de mars 1970, qui condamna définitivement une ligne essoufflée. Une ligne à perte. Oui, pour connaître la vallée, la question du train est inévitable.

★

Les journées à Sarrance se suivent ainsi. Promenade solitaire sous une pluie déterminée, repas en silence, long après-midi de lecture. Le jour seulement est rythmé par les offices, où parfois viennent nous rejoindre des amis de la vallée. Au petit matin, Alain est déjà sur son chantier. Une chambre à rénover. Je le vois racler le mur, le visage blanchi par les poussières, le plâtre. Il a la tête ailleurs. Aux voyages, j'imagine. Souvent nous discutons, accoudés à l'échafaudage de fortune, au milieu de la pièce. Alain raconte le documentaire qu'il a vu la veille sur Arte. Il parle de sa prochaine marche.

« Là c'est sûr, je vais partir en Toscane. Dans le Chianti, tu connais ?

— Mais non, Alain, je ne connais pas. T'as fait le tour du monde à pied, et moi je connais la vallée de Chevreuse à vélo !

— Ouais bah, c'est vachement beau. Je vais faire tout le chemin des crêtes. C'est plein de villages fortifiés, de petites chapelles. J'ai calculé, je peux tenir deux semaines. Après, ce sera compliqué.

— Pour te loger ?

— Oui, mais je dormirai à la belle. Si on vient pas m'embêter, je m'en fous, moi. »

Alain parle avec excitation. Il délaisse tous ses outils, imagine sa route, les yeux au plafond. J'ai besoin de ma discussion quotidienne avec lui. Soixante-cinq ans, au moins, et la fraîcheur d'un adolescent. Je devine les souffrances aussi, les cicatrices. Faut pas croire. Mais Alain, semblant de clochard lorsqu'il lève le pouce au bord de la route, sac plastique d'hypermarché à la main, doudoune élimée, Alain connaît la route. Il sait les choses. Une mémoire qui ressort parfois un film de Tarkovski. « *Andreï Roublev*, c'est beau, ça, hein… ? » Les yeux rêveurs encore, avant d'enchaîner sur un livre, un autre voyage.

Oui, il y a aussi toutes ces rencontres, ces discussions au coin d'une table avec ceux que le monastère protège, soulage. Leur présence ici est sans raison. Une halte au cours d'une vie bousillée. Le besoin d'un énième départ après des courses manquées. Oublier la taule, balancer la bouteille et ses maudites dépendances. Il faut s'essayer à vivre, avec la prière comme seul viatique. Un matin, je discute ainsi avec Olivier, plongé dans l'obscurité du réfectoire. Il est assis, seul au milieu de cette longue table, comme un enfant attend patiemment son repas. À soixante-dix ans bien tassés, mon voisin de chambre est une gueule cassée. Le visage sabré par les rides, la voix fuyante, trop rapide. Et le regard inquiet. Pire, les yeux sans paix, alarmés, qui survivent dans l'urgence. Je remarquerai après quelques jours qu'ils ne cessent de pleurer, ces yeux. Alors nous parlons un peu. Et je devine très vite que j'ai un volcan en face de moi, prêt à vomir sa lave. Sans que j'aie besoin de m'attarder par quelques questions, Olivier se lance dans l'histoire de sa vie.

« J'étais dans le business des remontées mécaniques. Dans les années quatre-vingt, je suis allé en Inde, on créait des pistes. »

Olivier balbutie, se reprend. Il essuie l'eau qui déjà déborde de ses yeux.

« On arasait les sommets pour construire nos pistes. Tu ne te rends pas compte du nombre d'arbres qu'on a abattus... Je me souviens de ces petites filles dans la misère, et de leurs mères qui portaient notre sable. Le sport d'hiver est un scandale, et c'est pareil ici. »

Olivier lance une œillade sur le côté, pour désigner la haute montagne.

« Pourtant, tout le monde attend la neige en ce moment, non ?

— Les gens du pays n'attendent pas la neige pour le ski, mais pour les bienfaits qu'elle apporte à la terre. La neige est bonne pour les pâturages. Au contraire, les dameuses et les canons à neige détruisent les sols et ravagent l'écosystème. Tu sais ce qu'ils font, en été, pour maintenir les pistes en état ? Ils étalent de l'engrais, plantent du gazon. Là-haut, certains ne boivent même plus l'eau du robinet. Elle contient toutes ces merdes de neige artificielle. Faut pas s'étonner, quand on voit le pognon qu'on peut se faire avec les forfaits de ski... »

Tout est à jeter pour Olivier, dans cette industrie du loisir qui s'approprie doucement les versants. La haute montagne ressemble à un félin en cage. La nature qu'on s'échine à vautrer dans un zoo. Il faut rendre la montagne fonctionnelle. Aux premières vacances d'hiver, elle doit être opérationnelle pour la « saison », où l'on vient retrouver à deux mille mètres d'altitude les mêmes parkings qu'en ville. La queue devant les remontées mécaniques. On attend l'amusement. Comme tout le monde, on patiente. Heureusement qu'ils ont mis de la musique au bas des pistes. Et la nuit, tout ce tintamarre redescend dans les stations et leurs lotissements bâtis en forme de chalet. Les dameuses viennent faire le repassage sur les pistes. Demain à l'ouverture, le terrain sera remarquable. Une neige sous contrôle, optimale.

Faut voir les stations de ski en été. Ces saignées en pleine forêt, le paysage lacéré, les versants fouettés. La montagne exploitée a la lèpre. Trop pudique, sauvage, elle aurait bien voulu se cacher. Ne pas laisser voir ses blessures. Elles sont pourtant à découvert, matées par les câbles des remontées mécaniques et poignardées par les pylônes. L'amusement permet tout, qui va jusqu'à piller les cultures paysannes, bien utiles à l'industrie du tourisme. Il faut produire de l'authentique, prouver qu'on est fils du pays. L'imitation permanente. Mais ceux d'ici, la montagne, ils ne jouent pas à dégringoler sur sa neige et sa chimique ajoutée. Ils la craignent et ils en souffrent. Ils la quittent puis reviennent.

On est de la montagne comme on est de la mer :
l'élément vous a choisi.

Olivier se tait. Son corps parle seulement. Il
tremble, se retourne. Il lance de longs soupirs.
Et finit par dire, en citant le prophète Jérémie :
« Ils ont des yeux et ne voient pas. » Moi, j'étais
aveugle…

Je suis un peu gêné par cette effusion soudaine
d'émotion. Et j'entre malgré moi dans la confidence. Les larmes avec ça, qui affaiblissent ma
position. Mal à l'aise, pris au piège, je cherche
vainement des mots, des conneries pour soula-
ger. Mais non, il faut simplement savoir se taire.
Laisser le silence travailler. Ou bien changer de
sujet. C'est ce que je fais, en demandant à Olivier ce qui l'occupe au monastère. Il entretient
l'atelier, range les outils. Mais ça ne va pas plus
loin, et je ne force pas la discussion avec un
homme abîmé, qui se saborde avec imprécation
et colère. Alors que je m'apprête à quitter la
pièce, Olivier murmure : « Retiens le cri de tes
pleurs et les larmes de tes yeux. Car il y a un
salaire pour ta peine. »

Je regagne le cloître où goutte encore l'eau
de pluie. Les courants d'air giflent le visage,
apportent un peu d'oxygène. Je m'arrête. Une
silhouette tourne autour du jardinet intérieur.
C'est le vieil Albert. La tête baissée, enfouie
sous son béret, les jambes cagneuses et le pas

traînant, il passe et repasse sous la galerie. Albert croise les bras derrière le dos, et de ses mains réunies débordent les billes de son chapelet. Il tourne sous le cloître, répétant sa prière à l'infini. Le sens qu'il donne à sa vie.

5

Battu par le vent, le scapulaire de Pierre fouette sur son habit. On dirait une mouette prête à s'envoler. Au sommet du col d'Osquich, en Pays basque, on est encore bien loin de l'Océan. De mouettes il n'y a pas. Ce sont bien les vautours et leur brun rouille que nous apercevons aussitôt en grimpant par la route en pierre blanche, criblée de nids-de-poule. On croit à une rangée de statues, impassibles, les serres agrippées à leur socle. Le bec alarmant. Ils rôdent en meute. Dans le vide qui nous entoure, au milieu de cette terre chauve, ce trop-plein de ciel, les vautours se lèvent d'un coup. Ces rochers s'évadent sans un murmure, d'un vol lourd qui frôle d'abord la terre, puis fonce vers le lointain grisâtre. Ils vont traîner leur rapacité ailleurs.

La marche est usante pour atteindre le crâne du col d'Osquich et la chapelle Saint-Antoine. Le vent se lâche. Les bourrasques mordent la peau, fouaillent le visage d'une pluie mauvaise. Nous sommes en Soule, la plus discrète des provinces du Pays basque, cernée par les deux Navarre. Pierre est né en Béarn, un peu plus loin. Mais il veut me montrer ce pays aux balcons et volets rouges, purpurins. Les routes qui réclament l'Atlantique, la pierre de grès rose. Depuis une semaine, c'est la première fois que je quitte la vallée. Et naît déjà une impression de manque. Quelques jours, à peine, suffisent pour nouer en moi une intimité avec le relief. Partir, c'est interrompre ce dialogue. Je crois que le regard, habitué à de tels éléments – premières pentes, estives, sommets et neiges éternelles –, crée une dépendance. Ainsi en est-il aussi des vies insulaires ou côtières. On se sépare de la mer avec déchirement. On n'accepte plus l'horizon d'une plaine. Ici, comme un enfant quitte, maladroit, les jupes de sa mère, je perds un abri. Une idée des hauteurs. Je laisse un toit. Hors de la vallée, le ciel est trop vaste. Je manque de repères. Il n'y a plus ces colosses qu'on retrouve au matin, l'anormalité des flancs contre lesquels on se cache. D'un seul coup, la vie paraît bien fade, plate. Vers où lever les yeux ?

Pourtant la Soule reste pyrénéenne, et depuis le col d'Osquich on domine un paysage bistré, en dépression. Un amas de sargasses rousses et mouillées qui court vers la chaîne. « On a le pic d'Anie à portée de main », fait remarquer Pierre en tendant le bras.

La chapelle Saint-Antoine s'allonge en haut du col. Une plaque blanc lunaire comme un objectif deviné à la longue-vue au pied de la montée. De loin, j'ai cru que le clocher avait été foudroyé, se profilant comme du fil de fer tortueux. Mais c'est un clocher à trois pointes, dit trinitaire, qui prolonge la façade de la chapelle. Arrivé au faîte du col, la respiration coupée, Pierre me raconte :

« Mes parents étaient instituteurs. Ils se sont mariés en 1925. À l'époque, ils devaient passer par le nord de la France, car la région était déficitaire en instits. Après, ils sont rentrés ici. En 1930, ils n'avaient pas d'enfants. Alors ils sont venus tous les deux en pèlerinage jusqu'ici, à la chapelle Saint-Antoine. Neuf mois plus tard, ma grande sœur est née. En fait, ils n'ont jamais su compter les périodes de fécondité et de stérilité. Ils ne comprenaient pas... Mais je pense que la foi les a tout de même aidés. »

Chez Pierre, la religion n'avait donc rien d'étrange. Elle était une des grandes questions familiales. Et là où certains s'éloignent de Dieu à cause de la famille, lui s'en est approché.

« Je me souviens, quand j'avais dix ans, un jour où nous étions tous aux champs, papa nous appelle et nous montre une fourmilière. Il dit : "Avant de la renverser, je vais vous faire voir les merveilles de la Création." Pour lui, c'était un moyen de nous parler de Dieu. J'ai gardé ce souvenir-là en tête. Et je voyais papa faire sa prière tous les soirs, embrasser la statue de la

Vierge. Il était le seul instituteur croyant du pays. Et avant le concile Vatican II, les curés voyaient déjà les églises se vider à cause du latin. »

Pierre interrompt sa marche.

« D'ailleurs, je me souviens des pleurs de mes parents au retour de leur première messe en français. Ils disaient : "Comment l'Église a-t-elle pu nous priver pendant tant d'années de cette joie ?.... " Enfin le prêtre ne leur tournait plus le dos pendant l'office. Ils comprenaient chaque mot, et on disait la consécration devant eux. Pour eux. Mes parents étaient bouleversés.

— À quel moment se sent-on appelé à devenir prêtre ? Je ne sais pas... J'imagine qu'il faut une grâce, comme une révélation soudaine. Est-ce qu'on choisit vraiment ?

— Il y a un moment qui a poussé ma décision, bien sûr. C'était en 1954. Nous avons enterré le curé du village. Je me souviens, j'avais douze ans. Je voulais mieux aimer Jésus. Et ça ne m'a plus quitté. Je suis entré au séminaire à dix-huit ans, ce qui était assez tardif à l'époque. On entrait au petit séminaire à douze. J'y ai vécu des années de bonheur indicible, d'illumination. Le séminaire ressemblait à un monastère, avec son silence, sa vie de contemplation. J'ai surtout appris à reconnaître l'intelligence du cœur. »

Moi, j'imagine volontiers qu'il faudrait avoir tout vécu avant de connaître la vocation de Pierre. Mais la vocation, justement, est un appel qui ne surgit jamais quand on est prêt. Pierre n'a pas tout vécu. Au contraire. L'homme a trop de vices pour qu'un prêtre les connaisse tous. Il y a certains de mes faux pas auxquels Pierre ne saura jamais répondre. Il garde en lui cette innocence qu'on travestit trop souvent en naïveté. Elle m'éloigne de lui. C'est pourtant un luxe d'être passé à côté de certaines choses. La connaissance vaut aussi par l'expérience des actes manqués. Il faut avoir toute sa vie ignoré certaines faiblesses pour approcher la pureté. Mais je suis bien décidé à fouiller davantage, à ne pas lâcher Pierre en route. Je veux comprendre. Dans le monde du soi, pourquoi se met-on, justement, à vivre pour autre chose que pour soi ? Pour un Autre qu'on ne voit pas ? Je veux comprendre, car, moi aussi, j'ai cherché. Si Dieu existe, pourquoi ne se révèle-t-Il pas aussi à ceux qui Le guettent ? Quelle iniquité... J'ai cherché, mais je ne L'ai pas trouvé. Alors, ils doivent dire, ceux qui savent, et devinent cette présence à leurs côtés. Où L'ont-ils rencontré ? Ils ne connaissent pas leur chance.

Autour de nous, le pays s'affole dans les coups de vent. La pluie qui éclaboussait par saccades tombe dru. Et les murs fiévreux de la chapelle dégoulinent. Ils suent.

Pierre poursuit :

« Le cérébral est l'ennemi du cœur. Tu ne viendras pas à la foi par l'intelligence. Par les livres, la philosophie, la théologie. Je crois que l'intellectuel ne voit que la pointe émergée de l'iceberg. Alors qu'avec le cœur, je dépasse mes schémas. Les murs tombent, un à un, par pans entiers.

— Cela peut être si dur à entendre. On a parfois l'impression que ceux qui croient sont déconnectés, ou bien qu'ils se rassurent. »

Pierre sourit doucement.

« Croire, c'est faire le passage de l'intellect à la réalité, à l'expérience. Ce n'est pas une échappatoire ou une fuite. Au contraire. La foi est une épreuve de la réalité. Il faut éprouver pour aimer. Regarde, Dieu s'est fait homme, Il a épousé la condition de l'homme pour éprouver sa réalité. Et l'aimer jusqu'au bout. »

Le regard de Pierre verse dans le vide. Comme s'il fouillait à l'intérieur. Après un léger silence, il reprend :

« L'intelligence du cœur, voilà le grand réalisme. Ne pas laisser un seul jour filer sans aimer. Lorsqu'on lui demandait : "Que faut-il à un prêtre pour qu'il garde toute sa ferveur ?" le curé d'Ars répondait : "Il devrait rester au séminaire toute sa vie." Le désir de Dieu dépasse l'intelligence. »

Nous reprenons notre marche. Il faut redescendre le col, alors que le soir déjà étire sa langue inquiète. L'obscurité n'a plus d'heure. On ne devinerait même plus les vautours en contrebas.

« J'ai été ordonné prêtre à Mauléon le 23 décembre 1966. C'était après mon service militaire dans la marine. Quand on accostait dans les ports, je me souviens des camarades qui me disaient en souriant : "Toi, tu restes ici, hein ?" Et ils allaient faire leurs affaires en ville. J'étais aide-aumônier, à ce moment-là. Ça m'amusait. Ces quelques mois en mer ont été des années de délice... Peu m'importait le décalage avec les autres, tu sais. Mon plus grand désir, c'était de faire connaître Jésus.

— Vous êtes ordonné prêtre à Noël 1966, et dès janvier 1967 on vous envoie dans la vallée !

— Et vois, je ne l'ai plus quittée. Je n'avais pas vingt-cinq ans, et j'arrivais comme un étranger, ou presque. Maintenant, je sais que ma nomination en vallée d'Aspe par l'évêque de Bayonne est un miracle. Le premier d'une longue série... Lorsque j'étais au presbytère d'Accous, j'ai très vite été entouré par des objecteurs de conscience. Tu ne le sais peut-être pas, mais c'est un statut créé après le gâchis de la guerre d'Algérie. Un service civil plus long, qui remplaçait le service militaire. Dans la vallée, on a fondé une aide pour les paysans. Avec ces objecteurs, nous avons vécu une grande vie de prière. Je n'étais pas si seul...

— Mais vous n'étiez pas encore moine, à l'époque ?

— Je suis devenu moine prémontré en 1981.

Chanoine régulier selon la règle de saint Augustin. Je deviens donc "moine curé". C'est comme une greffe dans ma vie de prière, tu vois. Ce n'est pas une transplantation ! Et là encore, c'est un nouveau miracle, frère. Car j'intègre l'ordre des Prémontrés tout en restant dans la vallée, avec l'accord du père abbé de l'abbaye de Mondaye, en Normandie, et de l'évêque de Bayonne. J'ai toujours cherché à partager un climat de prière avec des frères. C'est ce que je souhaite pour Sarrance...

— Et j'imagine que le monastère est aussi un miracle sur votre route.

— Il l'est, tu peux en être sûr. C'est l'évêque qui a proposé que j'aille à Sarrance quand le sanctuaire s'est vidé. Nous avons trouvé l'argent pour le racheter. Et maintenant, tu vois le chemin qu'il reste encore à faire. »

Ainsi Pierre, arrivé comme un étranger dans la vallée, avait-il juré de ne plus la quitter. Il avait mon âge, et découvrait déjà le poids des âmes. Toutes les charges à mener. Mais Dieu a lié Pierre à cette vallée. Un geste biblique. Car aucun homme ne saura séparer ce que Dieu ici a rassemblé. Alors que notre marche faiblit, nous passons devant une stèle. Il y est écrit :

« *1385, Ian Hasirik Heben Othoitz Egiten da Bakiarentako.* »

En basque, cela veut dire : « Ici, nous prions pour la paix depuis 1385. » Nous quittons justement le col d'Osquich pour nous rendre à une veillée pour la paix en Pays basque. Elle a lieu dans l'église d'un village du pays de Mixe, en Basse-Navarre. Pierre tient absolument à s'y rendre, alors que nous sommes presque à deux heures de route de Sarrance. « Ils veulent remplacer les bombes par la prière, tu te rends compte ? sourit-il en me prenant le bras. C'est formidable. Il faut encourager ces gens-là. Et c'est bien qu'un curé du Béarn se déplace. » D'un pas pressé, nous descendons vers la voiture, précipités par le vent qui chasse dans notre dos.

★

« Oui, c'est une bonne chose qu'un curé du Béarn vienne à cette veillée. »

À nouveau, Pierre est au volant. C'est bien là l'image qu'il me restera de l'aventure. Il a enfilé un gros chandail blanc, de la couleur de son habit. Et nous avançons, prudents, dans les lacets du col d'Osquich. Le vent faiblit contre le pare-brise. La végétation a repris pied derrière les talus. Les chênaies découpent les arpents de terre clôturés. Et tout cela broie le vent, piège ses bourrasques. Le vent comme une mouche paniquée dans les fils brodés par l'épeire. Il ne souffle plus. Le vent gémit.

« Il y a eu une longue et terrible séparation entre les Basques et les Béarnais. Jusqu'à en faire des frères ennemis. Si tu veux, la répression de Franco dans les années soixante a provoqué un "basquisme" terrible. Le mouvement indépendantiste a pris beaucoup d'ampleur.

— Mais alors, d'où vient cette rivalité avec les Béarnais ?

— J'y viens, frère, j'y viens… Au moment de cette prise de conscience de la culture basque, les Béarnais justement abandonnaient la leur. Ils sont entrés très vite dans le matérialisme. Ce que j'appelle, moi, la civilisation du tracteur et de la télévision. Et le passage d'une agriculture de subsistance à une agriculture de rendement. Les Basques, eux, sont restés attachés à leur culture, à leur langue. Tu me suis ?

— Oui, frère.

— Et la préfecture est à Pau, en Béarn. Les Béarnais ont jugé les revendications culturelles basques très… folkloriques. Et excessives ! Ils ont été un peu méprisants et il y a eu tout un tas de mesquineries entre eux. C'est ce qui a encouragé les Basques à réclamer leur propre département. Ainsi, durant toutes ces années, il était impossible pour un curé basque de venir en Béarn. Et inversement…

— C'est tout récent, alors.

— Oui, ça n'a qu'une cinquantaine d'années. Mais là, tu en sais plus que beaucoup de gens du pays, qui ignorent ces raisons. »

Sur la route étroite qui file vers l'ouest, les roues de la voiture se vautrent dans les flaques du bas-côté au croisement brutal d'un véhicule. Les feux agacent une campagne somnolente. Elle grelotte aux premières heures de la nuit. Après un silence rêveur, le détachement naturel qui surprend lors des trajets nocturnes, Pierre reprend :

« Le béarnais est ma langue maternelle, tu le sais. Mais je suis très bascophile parce que mes grands-parents paternels se sont mariés en 1879, avant l'école française obligatoire. Ils avaient donc le béarnais comme première langue, puis le basque. Ce bilinguisme était extraordinairement généralisé. Pour vendre ses produits au marché de Navarrenx ou au marché d'Oloron, il fallait parler les deux langues. Après 1880, avec l'école obligatoire, les Béarnais ont cessé d'apprendre le basque et ils se sont mis au français. Tu me suis, là ? »

Pierre veut être sûr que je comprends tout. Le besoin d'un acquiescement distinct, franc.

« Oui, je vous suis, frère. Je pensais simplement à ce que vous avez dit il y a un instant, sur l'entrée soudaine des paysans béarnais dans le matérialisme. Vous aussi, vous l'avez vécu, ce changement ?

— Et comment ! Bien sûr, je l'ai vécu. Je l'ai vu ! Après, tu sais certainement que c'est un fait rural en général. Ce nouveau rapport du paysan à l'argent est le même chez un paysan breton, ou normand, d'accord ? Le paysan moyen, qui avait une exploitation petite, avec la production qu'il faisait, il vivait. Avec l'arrivée du tracteur et des machines, il a fallu passer à une agriculture de rendement. Alors très vite, dans une ferme, les machines ont eu plus de valeur en argent que la maison, les terres et le troupeau. Le temps s'est évalué par rapport à l'argent. Et le paysan a modifié très vite sa façon de vivre.

— Et j'imagine que ce nouveau rapport a aussi joué sur son comportement, ses attitudes...

— C'est ça. Tu connais la parabole de la brebis perdue ? Eh bien, si aujourd'hui j'appelle tel paysan pour lui dire que j'ai vu une de ses bêtes égarée au bord d'une route, il ne va pas aller la chercher. Il me répondra : l'argent que je mettrais en essence pour aller la reprendre, le temps que je perdrais, cela me coûterait trop d'argent... De détail en détail, bien sûr, c'est toute une attitude qui est viciée. »

Dans chaque lieu-dit traversé, Pierre connaît le nom des familles. Les volets des *baserri*, les fermes basques, sont clos. La lumière du foyer filtre à peine. Et la tuile peu à peu a remplacé l'ardoise. La couleur gagne, contamine le linteau des maisons, leurs volets, les premiers balcons qui surplombent l'entrée de l'*etxe*. Pierre songe à haute voix, une fois certains hameaux dépassés.

« En combien il est mort, B. ? » Ou il raconte :
« Le fils de P. a repris la ferme », « Ici, ils ont
perdu un fils qui s'est tué en voiture »... Les
connaissances de Pierre fuitent bien plus loin
que la vallée. « Si tu prends cette route à droite
et que tu continues sur quelques kilomètres, tu
arrives au village où mon tonton était curé il y a
quarante-huit ans. Il est mort en 1974 en ignorant qu'il puisse y avoir une question basque, et
en ignorant aussi les problèmes entre Basques
et Béarnais. »

Nous arrivons enfin à Masparraute. Les volets
sont rouge sang, tous, et brisent le blanc criant
des façades. Au centre du bourg, légèrement
en hauteur, nous rangeons la voiture devant
l'église. La place donne sur le fronton abîmé
par la pelote. Une murette file vers le mur de
jeu au pied d'un jardin. Je sens Pierre un peu
inquiet, moins paisible qu'à l'habitude. Son
pays est déjà loin. Sa maison familiale, l'*Ugart*,
« entre deux eaux », est à quelques dizaines de
kilomètres d'ici. Seulement. Mais la frontière
basco-béarnaise l'éloigne davantage. Multiplie
les distances. Et le gave d'Oloron paraît si loin.
Pierre n'est pas chez lui, ici. Si peu de terre, et
déjà en pays étranger.

Nous passons le portique devant l'église et
pénétrons dans un narthex exigu, vestibule qui
donne sur la nef par une porte en bois fauve. Plusieurs groupes se joignent à nous, des hommes

entre deux âges. Ils se serrent longuement la main, se donnent l'accolade. Ils parlent fort, en basque. Tout le monde se salue. On se connaît. L'église renoue les liens sociaux. On s'y retrouve pour parler du boulot, de l'*etxe*, des enfants. La veillée sera bien émaillée de quelques prières, mais le sujet sera d'abord politique. Le pays est la grande question. Un pays qui existe surtout par sa langue. Ici, tous la connaissent. Le français devient rare, et même Pierre est salué en basque. Il comprend la langue mais la parle avec hésitation. Alors que le béarnais chez lui est courant. Il est d'ailleurs le seul curé du Béarn à toujours utiliser la langue du pays dans sa liturgie.

Nous nous installons sous la solive de la tribune qui rampe sur le mur. L'attrait traditionnel des églises basques, où les hommes dans le temps s'installaient pour suivre la messe. Les balustres en bois noir, huilé, s'encouragent un à un jusqu'au chœur trop doré, un baroque gâté. Derrière nous, un groupe de femmes rit, tassé sur un banc. Une agitation de jeunes collégiennes. On fait tomber le livret de chant, on s'excuse. On frotte ses mains pour réclamer un peu de chaleur. Et ce sont les hommes qui mènent la veillée, animent les chants, autour d'un vieil orgue niché sous l'escalier de la tribune. Ils donnent d'abord des consignes, distribuent les feuilles. Puis ils se succèdent dans le chœur, derrière l'ambon où ils récitent des textes. Le basque est une langue mordante, rêche. Une langue politique, justement. Aussitôt traduite en français, pour les plus jeunes peut-être. Mais dans l'assemblée, ceux qui ne parlent pas le basque doivent se compter sur les doigts d'une main.

« Bakea Euskal Herrian eta mundu osoan » : « la paix au Pays basque et dans le monde ». Voilà notre affaire.

Un homme rond prend la parole, et rappelle les années de conflit qui ont déchiré le pays. Jusqu'à la paix d'Aiete, où, en octobre 2011, l'ETA a décidé de cesser définitivement la lutte armée. « Mais il n'y a pas de paix sans justice », proclame-t-il. Car ils sont encore des centaines de militants séparatistes dispersés dans les prisons de France et d'Espagne, d'Algésiras jusqu'à la banlieue parisienne. Pour mater un taulard, il faut l'éloigner de sa terre. Le jeter dans l'inconnu. Pour étouffer un Basque, celui qui justement réclame sa terre, l'État l'envoie dans le Nord, par-delà les autoroutes. À Paris, tiens. Fresnes, Fleury-Mérogis, Nanterre... Il verra, là-bas, qui sont les radicaux. Et la violence des petites choses. Le basque, il le chuchotera dans ses mauvais rêves. Les neuf cents bornes qui le séparent du pays, il pourra les compter pour trouver le sommeil. L'enfermement salaud. La seule muselière. Tu veux du pays, on va t'en faire voir. Une terre emmurée, grillagée, les

caméras qui gigotent au coin des murs. Les las-
cars madrilènes ou la racaille parisienne donnent
une certaine idée de la rébellion.

On choisit alors de chanter. Un pays qui ne
chante pas est un pays qui s'enterre, se laisse
mourir. Comme un chien avant la mort a cessé
de japper. Il soupire, s'éteint sans râler. Ils
chantent alors pour les frères enfermés. Là-bas,
aux Baumettes, chez les caïds des quartiers nord.
Jusqu'à Fleury, qu'ils entendent les voix graves
de Masparraute. L'orgue hésitant. Alors, ils
reconnaîtront leur langue, à la maison d'arrêt
de Malaga, et puis à l'Alcala dans les faubourgs
de Madrid.

Nike ez dut bizi nahi besoak mozturik
Bi zangoak herrestan bizkarra hautsirik
Izar bati begira lagunak eginik
Esperantza kantatzen ez naiz asperturik !

Je ne veux pas vivre les bras coupés,
Traînant les deux jambes, l'échine courbée.
Fixant une étoile, m'étant fait des amis,
Je ne me lasserai pas de chanter l'espérance !

C'est un homme d'une quarantaine d'années
qui s'avance enfin vers l'ambon. Le dos courbé,
la démarche assurée. Le buste fin serré dans
une polaire, un jean rentré dans des bottes en
caoutchouc, il a le corps sec, nerveux. Un visage
taillé au ciseau. Il raconte une longue histoire en

basque. L'église est plongée dans un silence de cathédrale. Il n'a pas de feuille et parle seulement, les mains gênées, posées sur l'ambon ou glissées dans la poche. Enfin, dans un français timide, qui bute sur certains mots, il traduit. Depuis 2001 et jusqu'à l'année passée, il était en prison. Une existence de captif à la maison d'arrêt de Bayonne d'abord, où la radio basque offrait une ouverture sur le pays. Une idée de l'extérieur. La langue permettait de ne pas trop perdre pied. Et les visites aussi, plus fréquentes que là-haut. Là-haut... Fleury-Mérogis, où il a été envoyé. Fleury : village paisible transformé en plus grande prison d'Europe. Soixante hectares de galeries. En mai 68, pendant que les étudiants hurlaient aux lendemains qui chantent, les premiers fourgons de taulards sont arrivés à Fleury, bâtiment D2. On promettait une expérimentation de la prison moderne. Une forteresse exemplaire, automatisée, pratique, plus aseptisée qu'un hôpital. Dans ses colonnes, *Paris Match* parle même d'une « prison cinq étoiles ». Ibiza pour un maton, et la destination rêvée quand on bosse dans le carcéral. Tu parles. Des deux « Mai 68 », c'est Fleury qui le premier a pourri. Leur hôtel est devenu une déchèterie. On s'entasse et les murs ne suffisent plus. Le tas d'ordures déborde, vautré au pied de l'autoroute du soleil. Tout pue. La mort surtout.

À Fleury, notre homme parle d'un calvaire. Les Basques se retrouvent emmurés dans une métropole dont ils ignorent les codes. Sans attaches, sans secours par la langue, si ce n'est les rares visites au parloir. Les familles remplissaient alors des autocars entiers qui remontaient la France pendant la nuit. Et dès le petit matin, elles commençaient leur tournée : Fleury, Fresnes, la Santé. On apportait des nouvelles du pays, les dessins des enfants. On évoquait les combats, les minces espoirs de liberté conditionnelle. La paperasse. Une fois le temps périmé, l'autocar repartait. On attendrait. Pour Noël, les quelques prisonniers basques se retrouvaient entre eux, pour échanger leurs victuailles, pour chanter.

L'homme a connu ces galères. Il y a quelque chose de fascinant chez un ancien captif. Ce serait comme un soldat qui revient du front. Il en a vu. Et puis, il y a aussi le non-dit de la peine. Il ne fait pas l'innocent. Il a été salaud. Les armes, il les a prises. Mais on ne saura pas ce soir pourquoi il a passé dix hivers en taule, à Bayonne, Fleury, et puis à Lannemezan au pied des Pyrénées. Devant l'assemblée entassée sur les bancs, il se proclame toujours militant, comme aux premières heures. Contre « la destruction de notre pays et la disparition de notre langue ». Une lutte sans les armes désormais, à visage découvert, loin du maquis. Aujourd'hui, il est père de deux enfants, et a repris une ferme. Un modèle de réinsertion, dira-t-on. C'est plus aisé quand on sait d'où l'on vient. Et qu'un pays vous attend.

Après une salve d'applaudissements, le chant reprend.

Mespretxu zapalkuntza kalapita hauzi
Herri ukatu baten morroi marka guzi
Dator Askatasuna hodeiak doatzi
Ager gaiten dantzara bihar edo etzi !

Mépris, oppression, affrontements, procès :
Autant de marques traduisant l'esclavage d'une
Nation reniée.
Que vienne la Liberté, les nuages s'estompent.
Osons nous montrer et danser demain ou après-
demain !

La veillée prend fin dans une dernière prière.
Tout le monde se lève. On tape dans le dos de
ceux qu'on n'a pas vus, et on se bouscule jusqu'à
la sortie. Sous le portique, des femmes distribuent des biscuits basques et servent du chocolat
chaud. Les groupes d'hommes se reforment dans
la cohue. Quelques-uns, reconnaissants, viennent
remercier Pierre de sa présence. Presque deux
heures de route, par le Béarn, la Soule et la
Basse-Navarre, pour venir veiller à leurs côtés.
C'est un geste qu'on vient saluer. « Merci, monsieur le curé. » Pour Pierre, cet encouragement
est aussi un moyen de prendre des nouvelles du
pays. La température. Connaître la santé d'une
vieille mère malade, l'état d'une paroisse. Enfin,

nous quittons l'église. Sur la place, une voiture est accidentée, à cheval sur la murette. Dix hommes s'unissent pour la relever. La carcasse rebondit alors et se redresse, prête à repartir. Les sauveteurs qui fumaient leur sèche devant l'église attrapent un gobelet de chocolat chaud et poursuivent leur discussion.

★

Notre route est encore longue jusqu'à la vallée. Il faut attraper la départementale qui court droite entre les voussures des ronds-points, séparée du cours d'eau par la silhouette noire des entrepôts. On n'entend plus la pluie sur les vitres. Le vent l'a envoyée plus loin sur la plaine. Dans la pénombre de la voiture, sonné par la chaleur climatisée, je devine en Pierre le repos. Il n'y a plus le téléphone pour sonner. Seulement une route à suivre. La signalisation qui brasille à l'approche des feux de route. Et les pneus se ruent sur les grandes flaques dans un bruit de jet d'eau. Béret vissé sur la tête, bouche entrouverte pour expirer, en demi-sourire, Pierre a quelques remarques sur la veillée. Il parle de sa joie. Non pas du bonheur, mot-appât de la satisfaction matérialiste. Mais de sa joie d'avoir pu prier pour la paix avec ses frères basques. Puis les mots deviennent rares. Il reste alors l'attitude. La bonté physique de Pierre, homme plein et fort, aux traits généreux, qui pourtant

88

paraît si léger. À sa place, la joie semble facile, à portée de main. Et si le pari était jouable ? Cernée par les affres de la vallée, par ce pays qui hurle, la joie de Pierre ne passe pas. Elle est là, abîmée, à l'épreuve. Nul besoin de littérature sur la méditation, du « bonheur pour les Nuls », des philosophes médiatisés et des psychanalystes de plateau télé. Maîtriser ses peurs, guérir de ses complexes, contrôler son émotion, mentaliser ses coups de déprime... Le chapelet des nouveaux problèmes créés de toutes pièces par nos nouveaux besoins.

Je tourne les yeux vers Pierre. Rien ne bat que son cœur, ses pouls. Dans ce silence du sang, nous entrons enfin dans la vallée. Là voilà qui dort, accablée de sommeil. Toute trempée, elle sèche dans son lit, entre les ravines, les ressauts. Le gave nettoie cette peau calleuse, qui perd peu à peu en terre et gagne en rochers. Asasp, Lurbe-Saint-Christau et ses thermes abandonnés... Déjà nous convoitons les premières pentes, gagnons en chaleur contre le sein de cette mère. Le ciel gris et lâche est comme vide, trop pâle sur les monts, noirs de premières pinèdes, qui se dressent et dévorent les nues. Garrottée par la route, la vallée respire comme une asthmatique, contrainte par l'eau qui répugne à se vaporiser. Sur le bas-côté avant Escot, le chantier du chemin de fer apparaît, grillé par les panneaux d'urgence. Les pelleteuses ne travaillent plus. La fourmilière repose. Enfin nous basculons vers

Sarrance. Marie Blanque ronfle en vieille fille, et les bas de sa robe noire trempent dans le torrent. Le clocher du monastère surgit alors en un seul roc par-delà les toits d'ardoise. La voiture tourne à droite et part rattraper son sommeil. Au moment de sortir, Pierre me glisse un mot. Il dit que jusqu'ici, certains toponymes s'expliquent par le basque. Cela est vrai pour Sarrance qui signifie « entrée dans la vallée ».

6

Les râles de la débroussailleuse se taisent. Soudain. Dans un bruit de métal et un cri rauque. J'arrête ma lecture, et la chambre me semble plus vide encore qu'il y a quelques secondes. Le bourdonnement, au loin, remplissait ce vide. Et dans le silence assourdissant du monastère, la rumeur de la machine ne me dérangeait pas. Même à l'heure de la sieste. Vincent, un vacancier originaire de Bordeaux, est passé à la fin du repas. Il voulait profiter d'un geste du ciel, d'une accalmie dans ce désordre d'eau, pour débroussailler le calvaire. Comme convenu avec Pierre, il est allé chercher son matériel. Il a bu deux gorgées de café, avant de filer au jardin, en casque de protection et bottes caoutchouteuses. Avec Xavier et Albert, nous avons fini la vaisselle. J'ai ensuite rejoint ma chambre pour l'heure délicieuse de l'après-manger, partagée entre lecture et somnolence. En quittant Paris, j'avais pris soin de bien choisir mes livres. Et d'en prendre peu. Le moins possible. Certains vides ne doivent pas être comblés. Quand la débroussailleuse s'est arrêtée brutalement, je lisais *La Colère de l'Agneau*. Guy Hocquenghem y retrace la vie de l'apôtre Jean, les premiers balbutiements de la chrétienté. Son récit de la Passion surprend, émaillé de psaumes prophétiques. « Mon Dieu, le jour j'appelle, point de réponse, la nuit pour moi, point de silence... Je suis comme l'eau qui s'écoule, et tous mes os se disloquent ; mon cœur est pareil à la cire, il fond au milieu de mes viscères... Ils partagent entre eux mes habits, et tirent au sort mes vêtements. » Ainsi, par pur hasard, je lis l'agonie sur le Golgotha pendant que Vincent défriche le calvaire.

Je sursaute quand tout se tait. Le passage au silence est trop brusque. Dans ma chambre seule goutte l'eau dans les conduits du radiateur. Je suis certain d'avoir entendu un cri. Orientée plein sud, ma fenêtre donne sur le jardin, et le calvaire plus haut. Je me lève. Dehors il n'y a rien. Et c'est impossible d'apercevoir Vincent derrière le rideau de platanes, et toute cette végétation adventice. Là-bas, c'est comme si la forêt se précipitait sur le monastère et déboulait, cannibale, en traînant ses racines dans les flaques. Mais par l'allée qui longe le cimetière jusqu'à la colline et ses croix, je devine une silhouette. Elle court, puis trébuche, se retourne, feignant une poursuite. Tiens, c'est Olivier... Il crie en direction du calvaire.

« Tu m'entends ? ! Hein, tu m'entends ? Il va te punir ! Il te punira, mon vieux ! »

Olivier, essoufflé, se précipite vers le cloître. Il traverse le jardin, maintenant. Le poing brandi en l'air, il vocifère de plus belle :

« Dieu punit ceux qui blasphèment ! Tu t'en sortiras pas comme ça... »

Le vacarme est bientôt sous mes pieds. Olivier entre dans le cloître. Il fait gronder les portes. La sieste est bien finie, et pour tout le monde. Je sors de ma chambre. Au même moment, Xavier quitte la sienne. Nous nous regardons. Et sans un mot, nous descendons l'escalier poussié-reux, où se dessinent les traces des pas plâtreux d'Alain. En bas, dans la galerie, Olivier tourne en rond. Il souffle, éructe. Aussitôt, Xavier s'approche :

« Ça va pas de hurler comme ça, Olivier ! Qu'est-ce qui s'est passé ? L'un de vous s'est blessé ? »

Olivier se tourne vers nous, blême. Ses yeux ont viré au vif.

« Non, non. C'est Vincent, il est fou... Dieu va se venger.

— Mais de quoi tu parles, Olivier ? Raconte-moi, il s'est passé quoi, là-haut ? »

Xavier s'approche. Mais Olivier tire son manteau contre lui et fait un pas de côté. Au premier niveau du cloître, on entend les pas de Pierre sur le bois.

« Oh oh ! Vous êtes là ?

— Oui, Pierre. Tout va bien, on est en bas. C'est Olivier qui criait. »

L'escalier craque. Bientôt, Pierre nous a rejoints. Je reste en retrait. Xavier se recule aussi. J'ai l'impression qu'on tente de libérer une bête prise au piège d'un collet. Olivier se débat, baisse la tête. Il sort son mouchoir en tissu pour se frotter les yeux.

« Oh là ! Olivier… Pourquoi te mets-tu dans un état pareil ? Tu étais au calvaire avec Vincent ?

— Oui… Au calvaire. Je me promenais.

— Tu dis, frère ? Je ne t'entends pas. »

Pierre s'approche, mais Olivier recule et s'adosse contre le mur du cloître. Il répond, furieux :

« Je me promenais !

— Eh bien, tu as bien raison, après le déjeuner. » Pierre se penche un peu. « Mais pourquoi tu rentres en hurlant comme ça ? »

Au balcon, une tête grise se penche, qui demande des nouvelles. C'est Albert. Il s'inquiète. Xavier nous laisse, et monte le rassurer. À ce moment-là, on perçoit des pas lourds qui s'approchent, dans le jardin. Par la porte étroite, Vincent apparaît. Olivier s'en rend compte, lui jette un regard glaçant et s'enfuit. Tout le monde se tait. Olivier devient une ombre, puis un écho lointain, à travers les couloirs. Une porte claque.

« Vincent, tout va bien ? On ne comprend pas Olivier. Il est dans une colère épouvantable…

— Oui, frère. C'est… C'est ma faute. »

Lentement, en titubant dans ses bottes en caoutchouc trop grandes, Vincent vient s'asseoir sur un banc.

« J'ai voulu débroussailler autour d'une des croix qui montent là-haut, sur le calvaire. Vous savez, celles qui sont en métal, toutes rouillées ? Bon, et puis je m'y suis mal pris, et je pense que la croix ne tenait plus très bien. J'ai perdu l'équilibre et la croix a flanché. Elle s'est abattue…

— Tu ne t'es pas fait mal, au moins ? » Pierre essaie d'apercevoir une blessure éventuelle. « Ce n'est rien, tu sais. Nous utilisons ce calvaire trop rarement. Pour le Vendredi Saint, et en septembre pour le pèlerinage de Sarrance. Les croix pourrissent… Mais avec les travaux qu'il y a déjà ici, on ne peut pas aussi s'occuper du calvaire.

— Attendez. Seulement, quand la croix est tombée, j'ai entendu un cri, juste à côté. C'était Olivier. Il m'a regardé, complètement affolé. Et puis il m'a pointé du doigt. "Tu blasphèmes, tu blasphèmes !" Il arrêtait pas de hurler ça. Et puis : "Dieu va te punir !" Je sais pas ce qu'il faisait là. Je ne l'avais pas entendu, avec le bruit de la débroussailleuse. Il est reparti vers le monastère… Je suis désolé, frère. Je… »

Vincent pousse un long soupir. Il a même oublié de retirer son casque. On devine les os sous ses joues mal rasées. La fougère est restée collée à son jean. Vincent sent l'herbe tondue, humide. L'odeur acerbe de la terre mouillée.

« Mais Vincent, tu n'as rien fait, rien… Olivier parle avec des mots qui le dépassent. Ce n'est pas ça, le blasphème. Il est plutôt dans son geste, le blasphème, oui ? Tu me suis, Vincent ? Tu n'as rien fait…

— Oui, mais je m'en veux. »

Pierre lui prend le bras. Il s'est assis à côté de lui, devant le jardin intérieur.

« Non, tu ne dois pas t'en vouloir. Moi, je vais parler à Olivier. Le blasphème… Vous savez ce que c'est, le blasphème ? »

Pierre se tourne alors vers nous. Xavier s'est approché aussi, après avoir rassuré Albert.

« Le blasphème, c'est d'insulter son frère à la sortie de l'église. C'est de recevoir les sacrements et de ne pas en tenir compte. Et ceux qui utilisent le blasphème à leur soif de vengeance me font honte. »

Pierre a gardé la main posée sur celle de Vincent. Il s'emporte, empli de la colère de ceux qui ne savent pas vraiment la montrer. Dans le jardinet, on entend le clappement des premières gouttes. L'eau revient mordre la terre avec l'ambition des pluies de jungle.

« Je vais aller reprendre mon matériel, Pierre.

— Oui, frère, tu fais bien. Et reviens boire un thé au chaud.

— Je t'accompagne, Vincent. »

Xavier et Vincent quittent le cloître d'un pas pressé. Pierre se lève, et nous marchons lentement vers le réfectoire.

« Tiens, prépare-nous l'eau chaude, veux-tu ?
Moi, je vais voir Olivier. La vérité, c'est qu'il
est en colère contre lui-même. Et il fait peser sa
colère sur les épaules de tout le monde. Allez,
on se voit tout à l'heure, frère. »

Le réfectoire somnole dans une obscurité pois-
seuse. J'allume les lampes, et remplis la bouil-
loire. « Dieu te punira… » Les jurons d'Olivier
tapent encore dans mon crâne. J'ai pris peur
quand je l'ai vu hurler ces mots dans le jardin.
Je me souviens. Il avait, disait-il, déjà éprouvé
les fureurs d'un dieu. Un matin, peu après mon
arrivée, il m'avait pris à part. On se connaissait
à peine. « Viens, ce que je vais te raconter, je ne
peux pas le dire entre les murs du monastère. »
J'avais suivi ce petit homme déjà tassé dans le
jardin. Il s'était arrêté, avait regardé autour de
lui, et s'était approché. En chuchotant presque,
Olivier m'avait raconté une expérience qu'il avait
vécue une dizaine d'années auparavant en Inde.
Un « mantra » obsédant, et l'appel des démons.
Il avait fait l'expérience des mauvais esprits,
et s'était habitué à les invoquer. « Ne joue pas
avec ça, hein ? » Son histoire n'avait duré que
quelques secondes. Ses yeux étaient apeurés. Il
parlait de méfiance et de punition. Son visage
taillé par les rides m'avait paru terrifiant. Puis
nous avions regagné le réfectoire sans un mot,
pleins du silence des confessions malsaines.

7

Et l'accident eut lieu le 27 mars 1970. Nous étions aux premières heures du Vendredi Saint. La mort rôdait. Le train avait quitté Pau au petit matin, par un bon froid de printemps. Ici, les températures sont toujours à la ramasse. Les jours rallongeaient pourtant, et les neiges fondaient, là-haut, cédant leurs conquêtes. Les neuf wagons convoyaient du maïs, en direction de Canfranc. Le train était entré dans la vallée comme on fonce dans une embuscade. Cette fois-ci, il ne s'en tirerait pas. Les deux locomotives BB Midi, fleuron des machines du chemin de fer français, glissaient sur leurs rails. Elles traînaient leur bouffetance en contre-haut du gave. La pente s'élevait, plus rude, après la gare de Lescun-Cette-Eygun. Il fallait du jus pour avaler la grosse vingtaine de kilomètres de rail qui trompaient la montagne. À Canfranc, après la longue obscurité du tunnel du Somport, on serait sauvé. Une arrivée en pleine lumière, au beau milieu des neiges. Une arrivée comme à

Baden-Baden ou Leipzig, monumentale dans cette gare trop fière. L'Aragon et toute sa splendeur, sa démesure. Seulement, avant Canfranc, il y a cette foutue vallée englacée, piégée par le froid. Lui ne ment jamais. Et la vraie bataille du rail se joue entre les hommes et le froid. Il n'était pas encore sept heures du matin. Le premier train de Pau remplaçait le chant du coq. Le fracas des wagons, la respiration pénible des locomotives, réveillaient les hameaux, chaque village. Le vendredi de la Passion, elle prenait justement des airs de Gethsémani, la vallée. Rien ne serait plus comme avant. La température avait causé des chutes de tension entre les sous-stations de Bedous et celle des Forges d'Abel, lieu-dit par lequel on s'engouffrait dans la montagne à travers le tunnel du Somport. Les rails étaient couverts de givre. Tout patinait. On n'avançait plus. Sans inquiétude, les mécaniciens actionnèrent les sablières. Elles étaient vides. Le sable ne viendrait pas au secours d'une rame toute salivante, bloquée à mi-pente. Agacés par le gel, les doigts engourdis, les deux hommes descendirent de leur machine. Il fallait écraser des cailloux du ballast sous les roues pour faire repartir les locomotives. Alors, comme s'il attendait que le train soit sans âme, le froid tendit son dernier piège. La sous-station des Forges d'Abel disjoncta. Avec l'électricité, le freinage lâcha. Et, impuissants, les mécaniciens virent neuf wagons fuir en meute vers le fond de la vallée. Course folle. Le convoi prenait en vitesse, il repartait en sens inverse. À côté du rail, le torrent n'était plus qu'un charroi minable traînant sa flotte. Car le rail était devenu fou, incontrôlable. Les wagons hurlaient. De haut en bas, la vallée entière craquait. Dans les hameaux, les chiens aboyaient de rage, les bêtes se ruaient contre le mur des étables. Les nuages, nos zeppelins, se rassemblaient au ciel, sur la vallée, pour ricaner. On avait des envies de grêle, on parlait de déchirure et de catastrophe. Comme à l'heure des grandes tempêtes, l'aube enfilait son masque ultraviolet. Rouge orage. On crevait de soif. La mâchoire tirait. Et le convoi balayait l'air, manquait de s'éclater contre le quai de la gare de Lescun-Cette-Eygun. Un train fantôme éventrait la vallée et la découpait au poignard. À plus de cent kilomètres-heure, les wagons crevèrent le passage à niveau, au pied de la route de Lescun. Dans un dernier coup de cloches, l'ouvrage s'éparpillait sur le goudron. L'assassin continuait sa course aveugle dans un fracas de châssis et d'essieux brusqués.

Il fallait une fin à cette farce. La voix cassée, lassée par cette ruade sauvage, la rame s'accrocha dans la cage du pont de l'Estanguet. Les wagons alors se cabrèrent. Fous de destruction, ils abattirent entièrement l'édifice. Toute cette tôle d'acier, ce matériau impuissant, rail, locomotive, pont métallique, vint mourir dans l'eau du gave. Le Pau-Canfranc s'échouait pour de

bon, sur des galets centenaires. Le chemin de
fer avait dressé ces eaux, il avait su les remonter
à contre-courant. Mais tout ça devait crever là,
dans les ruines du pont de l'Estanguet. L'eau du
gave avait déjà un goût de métal fondu. Il n'y
avait personne à chercher sous les décombres.
Plus haut, les deux mécaniciens dévalèrent la
route, affolés. On ne le savait pas encore, mais
c'était la dernière fois que la haute vallée entendait le train hurler. L'accident arrangeait beaucoup de monde. La ligne n'était plus rentable.
Pire, elle était devenue un gouffre. Ce jour de
Vendredi Saint, le rail venait de perdre un territoire. Et toute la vallée viendrait voir le cadavre
au cours du week-end de Pâques.

8

« C'est la dernière bataille de ma vie. Sauver la ligne de Canfranc. »

Son corps fétiche tremble, tout en fleur fanée. À quatre-vingt-dix ans, il ne voit presque plus rien, et me demande par instants si je suis encore là. Des lunettes aux verres lourds grossissent pourtant des yeux bleu cendré, vifs mais complètement perdus. Nous sommes seuls au Randonneur, le café-restaurant d'Etsaut, en haute vallée. Etsaut est un des derniers villages français avant la frontière et le tunnel du Somport qui s'engouffre vers l'Espagne. Et l'homme que je suis venu visiter, c'est Étienne, la « mémoire vivante » du train dans la vallée. Pierre m'a conseillé de l'appeler pour en savoir plus sur le Pau-Canfranc. Il suffit de demander. Pierre connaît tout le monde. Si j'avais réclamé un spécialiste de l'écobuage, je l'aurais eu. Au téléphone, je venais à peine d'évoquer la ligne, l'inconnu s'est mis en colère. Il flambait. Je réveillais une guerre de positions, le combat d'une vie. Les injures contre les ennemis du rail ont fusé, ces « cons de Béarnais qui n'ont rien compris ». Après une discussion impossible, nous avons pris rendez-vous. « Au Randonneur à Etsaut pour quinze heures. »

J'ai suivi le chemin de fer de bout en bout depuis Sarrance, sans le quitter des yeux. Autant que possible. La mauvaise herbe mord le rail corrodé. Les racines ont pris sous le ballast. Peu à peu, les arbustes ont saccagé la voie. On ne devine plus l'entrée des tunnels, étouffée par la végétation. On n'a même pas déblayé les chablis vautrés là depuis les dernières tempêtes. La pierre de taille des viaducs est carbonisée, affligée par le passage des camions. Les ponts métalliques ont rôti sous la rouille. La ligne est pitoyable. Les gares sont pitoyables, qui apparaissent une à une au bord de la route, maisonnettes en pierre noire, désaffectées ou murées, vieilles catins violées par les bombes de peinture. À coups de millions, le projet de réouverture de la ligne a pourtant été lancé il y a plusieurs années. Elle n'ira pas jusqu'à Canfranc. Trop lointaine Espagne, trop coûteuse. Le train frôlera la nationale jusqu'à son butoir, en gare de Bedous. Les défenseurs du rail ont des rêves d'Aragon. Ils veulent revoir Canfranc, descendre vers Saragosse. Mais les sierras couleur de lune et les vals brûlés par le soleil restent inatteignables.

Je gare la voiture du monastère sur la place d'Etsaut. En entrant au Randonneur, je découvre l'homme, seul devant une table du café. Il ne se présente pas. Qui il est ? C'est inutile. Il représente le rail. Peu importent ses origines et la vie de boulots qu'il a menée. « Parlons chemin de fer, me dit-il aussitôt, rassuré que je sois parisien et pas une "feignasse de Béarnais". Cette bataille a commencé il y a soixante ans. J'y ai toujours cru. Toujours ! Vous savez, il y a deux raisons à mon intérêt pour la ligne. Mon père était ingénieur en voies et bâtiments aux chemins de fer à la compagnie d'État – qui deviendra la SNCF en 1938. J'ai toujours vécu au rythme du train. Mais surtout, surtout, le long de cette ligne, ma mère a sauvé des centaines de Juifs pendant la guerre. Je dis bien des centaines ! »

Il agite l'index. Ses yeux sont terrifiants. Je ne sais pas si c'est de la fierté ou la volonté de souligner l'ampleur du drame qu'il raconte. La bave mousse aux commissures de ses lèvres.

« Ma mère a été décorée, vous savez. Elle a sauvé des centaines de Juifs ! Car la ligne fait la jonction entre l'Aquitaine et l'Espagne. Depuis Bordeaux jusqu'à Canfranc, des réseaux faisaient passer les Juifs et les militaires en Espagne. Par la douane de Canfranc, il était possible de fuir jusqu'à l'occupation de la gare par les nazis à l'hiver 1942. Beaucoup sont passés par le train, cachés dans les sacs postaux, sous les essieux ou entre les voitures. D'autres partaient à pied, juste au-dessus ! »

D'un geste brusque vite contenu par les

rhumatismes, Étienne montre les hauteurs d'Etsaut.

« Ils versaient en Espagne par Astún depuis le chemin de la Mâture, qui passe plus haut. Avec la complicité des chefs de la douane. Le passage de Canfranc a été un des grands chemins vers la liberté. Ceux qui avaient de l'argent fuyaient ensuite en Afrique du Nord ou en Amérique. »

Avec l'âge, il en a perdu des souvenirs, Étienne. Tout n'est pas clair. Ça se bouscule, il se répète. « Elle a sauvé des centaines de Juifs, je dis bien des centaines ! » Toujours le même doigt sentencieux brandi devant lui, avec des yeux perçants d'homme aveugle. Pour en connaître davantage, il faut que je mette un peu d'ordre dans la discussion, alors qu'il me parle déjà de la Libération de Paris. « Vous y étiez, n'est-ce pas ? » me glisse-t-il rapidement. Surpris, j'acquiesce pour faire avancer les choses.

« Alors revenons-en à la ligne, tiens. Elle a été créée dans les années 1910, mais la mise en activité a été longue, c'est ça ?

— Vous avez bien vu l'état de la pente dans la vallée… Toute la difficulté était côté français. Tirer des dizaines de tonnes de marchandises sur un tel dénivelé, c'était un exploit. Mais la ligne a été reconnue d'utilité publique et les travaux ont commencé. Ils ont mis sept ans à achever la construction du tunnel, au Somport. Des centaines de mains espagnoles et françaises ont percé huit kilomètres de galeries, là-haut, à mille mètres d'altitude. Les travaux se sont terminés pendant la guerre, en 1915. Après de multiples interruptions. Mais le premier train est passé treize ans plus tard, en 1928.

— Pour dompter la pente côté français, j'ai entendu parler de ce tunnel presque unique en Europe, à quelques kilomètres d'ici à peine.

— Le tunnel hélicoïdal... Je l'ai fait visiter de longues années, quand j'étais technicien sur la ligne. Au préfet même, pour lui prouver que cette ligne pouvait être rentable ! Ce tunnel est une œuvre d'art. Pour combler la pente d'Etsaut aux Forges d'Abel, on a construit le tunnel en forme d'hélice. Le train s'élève donc sur une pente à plus de trente pour cent. Vous vous rendez compte ? Et ils voulaient laisser ça à l'abandon ! Dès les années quatre-vingt, j'ai fait visiter le tunnel à tout le monde, quand j'étais conseiller ferroviaire des Pyrénées. »

Étienne n'a pas touché à son café au lait. Le restaurant est désert, il n'y a que nous. Dehors, les chaises et tables en plastique prennent quelques gouttes qui fusent, obliques sous l'auvent. Elles ont été sorties sans grande conviction. Pour ne pas laisser trop de place au vide. Le tenancier passe du comptoir à l'épicerie mitoyenne. Sur la place déséquilibrée par la pente, l'hôtel des Pyrénées est fermé. Définitivement ou pour la saison, aucune idée. On ne dort pas sur la route du Somport. On préfère passer aussitôt en Espagne. Il y fera sûrement meilleur. Plus haut, la neige a pris goût à la terre. Celle-là reste tout l'hiver, par grandes mares dégoulinantes. Sur ce territoire cabossé, tout en ravins coupants, en gouffres, ce chemin de fer est pure folie.

Chez Étienne, le rail dissimule les cicatrices d'une vie de grand blessé. Il n'en dira rien, mais je le vois bien. Le train, le train... Le combat de sa vie, c'est d'en cacher un autre. Et le train est une cause. Elle permet de tenir. Sous sa casquette en tartan, la chemise serrée dans une cravate en cuir fine, Étienne sifflote par moments. Comme pour se donner de l'assurance. Une fierté pathétique. «Vous êtes venu me voir depuis Paris, vous voyez, je suis là. J'ai gagné le combat.»

Il continue :

«Pendant des années, on m'a dit : mais, monsieur Étienne, il n'y a que vous qui croyez à cette ligne ! Eh bien regardez, la ligne rouvre. Le préfet m'a appelé pour me dire : Étienne, on va relancer la ligne de Canfranc...

— Ils rouvrent la ligne jusqu'à Bedous, pour l'instant. Ce n'est pas dit qu'ils iront à Canfranc.

— Vous verrez, le train ira à Canfranc. C'est prévu, mais chaque chose en son temps. Et pour l'arrivée du premier train, sacré nom, tout le monde fêtera monsieur Étienne. Car j'ai gagné la bataille que j'ai menée pour sauver cette ligne. À Bedous, ce sera ma fête. Ils vont me décorer.»

Il esquisse un sourire mauvais, vengeur

presque. Ses longues dents font peur. C'est une gueule de vieux fou, tragique, gonflée d'orgueil. Il répète :

« Vous verrez, tout le monde me fêtera. J'espère que vous serez là, d'ailleurs ? On fêtera monsieur Étienne, défenseur de la ligne dans la vallée. Soixante ans de combat, vous voyez, soixante ans ! »

Le café au lait frissonne alors qu'il dessine une ligne imaginaire sur la table. Ses mains grêles tremblent, maculées de lentigos. Je ne regarde plus que ses ongles jaunis, trop longs, qu'il fait racler contre le bois. Ces détails physiques qui vous rappellent un homme, et peuvent vous en dégoûter. Monsieur Étienne s'agite nerveusement, sort un mouchoir, sifflote à nouveau. Et moi, je m'en veux d'avoir réveillé la mauvaise lave de ce volcan usé. Je n'aurais pas dû. Il parle des ennemis du rail comme d'une armée imaginaire. Une horde de sauvages qui terrorisent la vallée, sabotent le chemin de fer. Il les accuse d'avoir profané le caveau familial, renversé les pots de fleurs et décapité la Vierge. « Ils m'en veulent, ils m'en ont toujours voulu. » Pure folie. Dans un restaurant de la vallée, on a même tenté de l'empoisonner. Lui, monsieur Étienne, défenseur du Canfranc. Ils ont cherché à l'intimider.

« La route voulait même s'emparer du tunnel ferroviaire. Mais on a tenu. Ils n'auront pas la ligne. Je déteste cette vallée, c'était une erreur de construire ma maison ici. Je l'ai fait seulement pour voir le passage du train jusqu'au tunnel hélicoïdal. Je domine la vallée de manière à voir la ligne grimper jusqu'à Urdos. »

Depuis plus de quarante-cinq ans, le panorama de monsieur Étienne ne bouge plus. Pas une traître rame pour serpenter en fond de vallée et réchauffer la pierraille maudite du ballast. Le viaduc d'Arnousse se dresse, squelette incompris, nacre noircie à l'équilibre entre deux collines. Il imagine la ligne, Étienne, mais c'est un cimetière qu'il voit. Les tunnels, comme des tombes dévorées par le lierre, sentent l'humidité des pierres poisseuses. En été, même, la ligne prend quelques couleurs. Le rail disparaît sous les genêts. La gentiane et l'iris éclatent d'une seule encre bleue torride qui fuit sur le chiendent. On déguise la ligne. La nature se moque. Alors, depuis sa baie vitrée à flanc de montagne, Étienne regarde l'agonie du rail dans l'espoir d'une résurrection. Je n'ose pas le lui dire. Mais je sais qu'il ne reverra plus le train passer sous ses fenêtres. Il lui reste trop peu d'années à vivre. Le train ne viendra pas. Il se contentera des camions qui abondent sur la nationale.

Nous sommes encore seuls au Randonneur. Une odeur de bonbons sucrés effrite la gorge depuis l'épicerie, mélangée à l'amertume du café. Les lampes sont toutes allumées, prêtes à terminer le service de l'après-midi. Étienne me confie plus discrètement :

« Je vais vous montrer quelque chose. »

Il attrape un grand carton à dessin bloqué sous ses pieds et l'ouvre comme un plan de guerre sur la table.

« Je ne le montre qu'à vous. Je préfère garder tout ça pour l'inauguration de la ligne. Je ne veux pas froisser ceux qui me fêteront à Bedous. Mais comme vous n'êtes pas d'ici, je vous fais confiance. Regardez, ce sont les plans du projet de ligne transpyrénéenne. »

Je l'aide à dérouler le papier plastifié. Il sifflote, fier de son coup. Le meilleur est toujours pour la fin.

Le « Somport Express » est une carte dessinée à la main qui représente le réseau ferré d'Aquitaine jusqu'en Espagne, par le passage de Canfranc, surligné. Limoges, Bordeaux, Pau, Oloron, Canfranc, Huesca, Saragosse... Nous déroulons plusieurs schémas, qui portent tous la signature d'Étienne. Il me demande de lire à voix haute.

« Et qu'est-ce qu'il y a de marqué, en dessous ?

— En dessous ?

— Oui, sous la carte, là ? » Il déplace son doigt qui grelotte vers le bas.

« Ah... "Collection de Monsieur Étienne".

— Voilà ! Vous voyez, j'ai fait moi-même ces plans. Tout est prêt. »

Un autre schéma dévoile la ligne du Pau-Canfranc minée de précisions : quatre-vingt-treize kilomètres de rail, vingt-quatre tunnels et quatorze viaducs… Un recensement qu'Étienne connaît par cœur, du quai voyageurs de Pau au tunnel de Sayerce. Il y a d'autres documents dans le carton. Des photos d'Étienne lorsqu'il était conseiller technique sur la ligne. On le voit rajeuni de vingt ans, casque de chantier sur le crâne, en visite dans le tunnel hélicoïdal. Sur un autre cliché, il sourit au photographe, sur le marchepied d'une locomotive BB Midi à l'arrêt. Chaque fois, il me demande de décrire la photo, feignant l'indifférence : « Ah oui, ça… »

Je tire enfin une photo sépia, datée du 27 mars 1970. Il n'en fallait pas plus pour réveiller les cauchemars de l'Estanguet. Une débâcle d'acier froissé, une immondice de wagons désarticulés, étranglés par le pont métallique. Et cette décharge gît dans un étiage du gave, comme si elle avait tenté de le passer à gué. Étienne me demande ce que nous regardons. Je remplace vite le cliché de l'accident par la photo d'une rame clinquante. Enfin, j'attrape la dernière affiche du carton à dessin. Debout à mes côtés, les jambes écartées, Étienne garde ses deux mains posées sur la table. Altier comme un général en campagne. Nous regardons la photographie. Elle est de mauvaise qualité. Il y a tout un paysage de fer en altitude, un monstre abattu, allongé sur des dizaines de mètres. Comme autant de coups de poignard sur ce corps sans vie, une multitude de lucarnes transpercent sa peau lézardée, cette ardoise régulière qui découpe la montagne abîmée en arrière-plan. Retenue par des poteaux phtisiques, une marquise court sur le flanc du fantôme. Elle recouvre une promenade qui s'ouvre sur un quai désert. Je demande, en sachant :

« Alors c'est ça, Canfranc… »

Étienne prend l'affiche qui tremble dans un bruit de plastique plissé.

« Canfranc. Si elle vivait, elle serait la plus grande gare d'Europe, pas loin. Je me souviens du bureau des douanes, et du buffet remarquable. On y mangeait très bien. Là, il y avait le quai français, et en face, le quai espagnol. Le chef de gare de la partie française était originaire d'Accous, dans la vallée. Nous autres, on le connaissait tous.

— On dirait une gare parisienne, la gare de l'Est ou l'ancienne gare d'Orsay.

— Oui, c'est un style tout à fait français. On aurait pu la construire pour une Exposition universelle. Pourtant, Canfranc n'a été inaugurée qu'en 1928, par le roi d'Espagne et le président Gaston Doumergue. Il faut que vous alliez voir Canfranc… »

Il repose la photographie, et essaie de rassembler maladroitement les affiches jetées sur la table du café. Oui, j'irai voir Canfranc. Cette gare démesurée échouée en haute montagne, mangée par les tempêtes, la grêle et la neige.

Je propose à Étienne de le raccompagner chez lui. C'est trop compliqué. Il préfère rester au Randonneur. Il attendra sa femme qui passera.

Quelques hommes sont entrés au café. C'est la fin de journée dans ce lieu sans heures. Ils feuillettent machinalement *La République des Pyrénées* ou *L'Éclair*. Ils ne parlent pas fort, mais leurs voix résonnent, lourdes, bousculées par une toux grumeleuse. Alors je laisse Étienne, affairé dans ses affiches. Il s'est remis à siffloter.

C'était un spectacle un peu pathétique. Celui de ce vieillard acariâtre, obsédé par sa ligne et ses fantasmes. La passion sait nous rendre atroces. L'injustice dans nos goûts, la colère de l'incompréhension, tout ce désordre. Il n'était pas en paix, Étienne. Il avait un besoin fou de reconnaissance. « Vous verrez, on fêtera monsieur Étienne. » C'étaient les derniers espoirs d'une réputation à laver, et l'orgueil affligeant des hommes en quête de ce qu'ils n'ont jamais eu. Pauvre Étienne. Il ne reverra jamais la locomotive et ses voitures rouler en fond de vallée. Pourtant, il en parlait comme on attend un train en retard. Il viendrait, c'est sûr. Il suffisait de rester sur le quai… Il oubliait qu'il était né en 1926, Étienne. Ce n'était plus le rail qui perdait sur le temps. C'était lui.

9

On n'est plus rien, à avancer sur la route large et sûre d'elle au-dessus d'Urdos, aux abords du Somport. Rien qu'une cagette métallique qui ronronne, à l'aventure dans des lieux sans registre, distants. Tout est découpé, tranchant, un pays recouvert de suie tant la forêt paraît sombre dans cette fin d'année sans neige. Ou presque. Déjà, à mesure que la pente s'élève, je vois sur le bas-côté les congères abîmées, noircies par le passage des voitures.

Les premiers piquets à neige apparaissent le long de la route. Jaune et noir, rouge et blanc ? Je ne sais plus. Et je continue de m'élever jusqu'à la frontière. La route pour Canfranc. Au-dessus de moi, quelque part, il y a Astún et Candanchú, premières stations de ski en Espagne, après le Somport. Déjà les panneaux n'indiquent plus que des villes espagnoles : Jaca, Huesca, Saragosse. Comme si, passé le tunnel, il n'y avait plus que du soleil. Le désert ne serait plus en pierre noire et trempée. Il ne respirerait plus si vite, angoissé, furieux. Non, il aurait la couleur du sable, le vrai. Dans un pays de pierre rouge où les vallées l'été sont des géhennes. Le soleil se boirait dans des villes de fugitifs.

Il faut un tunnel pour passer sous ces rêves. Et le voilà qui ouvre sa gueule, le Somport. Je me jette dans la gorge du boa. Univers dédaléen, trop grand, de sommets, tunnel, et frontière. Des lieux qu'on veut regarder en photo ou qu'on nomme sur des cartes. Mais ici, si réels… On en crèverait de vertige. Le mal de montagne comme le mal de mer. Vertige des hauteurs et vertige des profondeurs. Avalé par le tunnel, ivre des lumières d'urgence qui défilent sur le mur, j'ai justement l'impression d'être sous l'eau. Chaque tunnel donne des idées de traversée sous la mer. Pris au piège de ces huit mille mètres en apnée, j'ai le temps de perdre tout repère. C'est un monde sans ciel, un pays clos où les seules issues sont de secours. Et cette lumière toujours, en bocal, vitreuse, qui inonde le tunnel comme la nuit, en ville, les ampoules grillent dans les vitrines. C'est la couleur du néant, sans chaleur. Une couleur qu'on fuit sur cette route enfermée à perte de vue, sous-marine, grimée par les peintures de sécurité. La radio depuis longtemps ne fonctionne plus. Oui, c'est un passage en haute mer, hors continent, vers un autre port. Et si je rencontrais un homme dans cet abysse, dans quelle langue devrais-je lui parler ? Aucune, certainement. Il se tairait. Il fuirait à ma vue. Les tunnels sont les tanières où tout s'engouffre : froid, marchandises, honte, vitesse. Rouler dans un tunnel, c'est passer son temps à le fuir. On ne vit pas là, on ne s'y arrête pas. Et à chaque courbe, on espère la sortie. Un effet d'optique donne l'impression qu'elle est proche. Ça y est, voilà le jour. Sa lumière blanche caresse le mur. Enfin on respire. L'air arrive, il plonge ses bras dans le gouffre, il ramène à lui. Mais une nouvelle ligne droite se profile déjà, qui paraît interminable. Toujours ces traits blancs au milieu de la chaussée, comme le tic-tac d'une horloge. Et ces lampes anémiques qui endorment la vigilance.

Tout d'un coup, sans un bruit, me voilà pourtant sorti. Réveillé en plein jour. J'ai seulement fait la sieste, quelques minutes sous l'eau, sous la neige ? On dira que c'était l'eau, pour rêver. Et me voilà en Espagne. Tout claque aux yeux, lumière réelle et nouvelle signalisation. L'urgence n'est plus la même, chaque panonceau est en langue étrangère, d'un Sud que je ne connais pas. Je m'écarte vite de la route, qui prend des mesures colossales. Je dévie vers « Estación Canfranc ».

La neige ici s'est agrippée aux toits. Elle stagne en mauvais état, défaite de la pureté des flocons. Comme beaucoup de villes accrochées à la barrière des États, Canfranc est sans charme, bouffée par les horreurs qu'on retrouve dans ces villes frontières. Une architecture navrante, bâclée. Des magasins de cigarettes et d'alcool. Et pas l'ombre d'une gare pour l'instant. Le *Titanic*, comme on l'appelle dans la région. Gare naufragée. Après tout, on peut bien couler en haute montagne. J'erre alors parmi ces immeubles d'après-guerre décorés comme des chalets, pour faire dans le style du pays. Mais ça ressemble plus au Village suisse de Paris. De l'imitation mal vieillie dans cette forêt de volets clos. Le long de la rue principale, quelques hôtels sont fermés. Sur plusieurs fenêtres, une pancarte trop colorée alerte : « Se Vende ». « À vendre », avec le nom d'une agence immobilière quelconque. Les cabines de *carabineros* ont été abandonnées depuis que l'Europe n'a plus de frontières. Et devant les appartements pour vacanciers, les jardinets sont recouverts de chiendent et de gravats. S'il n'y avait pas la lumière des *Tabacos*, j'aurais mis les pieds dans une ville fantôme bâtie autour d'un naufrage. Tous dans le même bateau. Si l'un sombre, c'est l'équipage entier qui prend l'eau. Dans les vitrines des tabacs, on vend les cigarettes au kilo. Et des bouteilles d'alcool de deux litres. Martini, Ricard... À y jeter un œil, j'ai déjà la gueule de bois.

La haute montagne a tout de même contrôlé l'ampleur du désastre. Canfranc n'est pas une ville frontière belge, où les machines à sous du

« Las Vegas » font gagner des chiots en peluche. Où l'on peut avaler un seau de café américain au « Saloon ». Non, l'altitude décourage les mauvaises ambitions. À Canfranc, on a vécu pour une autre idée. Quelque chose comme la gloire. On a maté la nature pour faire passer le rail. Contre les avalanches, on a planté des milliers d'arbres sur les hauteurs. On a détourné le río Aragón, pour libérer de la place à la gare. Et surtout, presque un siècle avant le tunnel routier, des petites mains ont creusé la montagne comme on prépare une évasion. Ils ont dynamité la roche, certains sont morts. Mais ils ont ouvert le premier tunnel du Somport pour faire passer le train. Ce qui fit dire au roi d'Espagne en 1928, pour l'inauguration de la gare de Canfranc : « Les Pyrénées n'existent plus. » Ils refaisaient le coup du *Titanic*. L'Atlantique non plus ne devait plus exister...

Derrière l'office de tourisme et son parking désert, après les *Tabacos*, les hôtels décrépis, les boutiques de matériel de ski à peine ouvertes, la gare se dresse enfin. Gros paquebot abîmé dans son sable. Je laisse ma voiture juste en face, et traverse le rio qui sépare la gare d'un jardin public taché de neige boueuse. J'ai un territoire pour moi seul. Comme si j'approchais d'Orsay au petit matin, vide. Mais à Paris il y a la ville autour qui bourdonne. Il y a une vie qu'on sent gémir. Canfranc est un désert.

Sur le quai espagnol, je regarde le sinistre. Les portes condamnées, les lucarnes aux vitres cassées sur le toit d'ardoise toujours en état. Au centre, comme une vigie, la rotonde sort sa tête, en équilibre, à distance parfaite des deux extrémités. On a osé quelques tags sur ce corps sans vie. Sur le rebord des fenêtres, un peu de neige comme une fin de clope au fond d'un cendrier. Voilà le ravage. Une friche au milieu de toute cette nature, petite tour de Babel encerclée par les sommets. Le pic d'Anayet, ancien volcan qui se dresse comme une dague sortie de son fourreau. Et vers l'Espagne, la sierra de Aisa où le gave d'Aspe prend sa source. Ruisseau timide, tel l'agnelet sorti du ventre de sa mère, qui peu à peu gagne en assurance pour rejoindre le troupeau.

L'abandon donne aux lieux qu'il surprend des allures de vieillard. Il y a eu une vie là-dedans, et ici au-dehors. On mangeait au buffet. Devant le bureau de change, on patientait dans la queue. On poussait, bagage en main, pour ne pas rater sa correspondance. Ceux qui attendaient le train de vingt-deux heures pour Paris jouaient au casino, et les plus riches dormaient à l'hôtel international de la gare. C'était toute une existence confinée, rassemblée autour du train. On vivait dans la gare, sans angoisse, dans l'attente. Mais après vingt années d'échanges avec l'Espagne, la frontière de l'autre côté du rail,

Canfranc crevait. Car, justement, les Pyrénées existaient encore. Jamais le trafic n'avait été à la hauteur de la gare. Il avait fallu une guerre mondiale pour qu'elle soit vraiment rentable. Mais la paix n'est pas bonne pour les affaires. Alors Canfranc s'est tue, progressivement. L'accident de l'Estanguet a été le bon prétexte, puis la route a remplacé le chemin de fer. Et l'autocar s'est substitué au train. Une à une, les soixante-quinze fenêtres et lucarnes se sont éteintes. On a mis la clef sous la porte. À mille cinq cents mètres d'altitude, un nouveau *Titanic* sombrait.

Avec Canfranc, toutes les gares sont mortes. Plus un véritable café pour attendre son train, la fin des restaurants et l'automatisation progressive des guichets. La rapidité. Optimiser. Il s'agit d'être efficace, de ne pas perdre une minute. Après quatre heures de train, vingt minutes avant l'entrée en gare, déjà les gens se pressent entre les voitures pour prendre leur bagage et attendre dans le couloir, serrés, soupirant, le regard virant de la montre au portable. J'aime à croire que pendant le naufrage du *Titanic*, à l'idée même d'une mort en haute mer, on se pressait moins. Et ceux qui se savaient condamnés vidaient les bouteilles de scotch au bar.

Le pire à Canfranc, c'est que la gare ne s'est pas vue couler. On aurait alors célébré le dernier train en fanfare. Tous sur le quai, à danser, boire le vin d'Espagne et les liqueurs d'Aragon.

On aurait ignoré la frontière, passant d'un quai à l'autre, dansant une farandole sur les rails. Un voyageur en costume, ensuqué, aurait entrepris de marcher vers la France. « On descend à Paris ! » aurait-il hurlé, avant de dérailler dans le tunnel du Somport.

Non. Au lieu de ça, Canfranc, plus grande gare d'Europe après Leipzig, disparaissait comme on meurt de froid. Pensant seulement dormir un peu.

★

Je pars boire un café dans un *Tabacos*, en face de la gare, sur la route qui remonte le río Aragón jusqu'aux stations de Candanchú et d'Astún. La nuit se ressent, prête à crouler, floconneuse, distante. Dans le magasin déserté, une charcuterie roupille dans ses viandes, derrière des rayons de babioles pour voyageurs : tasses, assiettes, statuettes, coquilles Saint-Jacques. Et puis, il y a une librairie misérable sur l'histoire de Canfranc. J'apprends alors que la gare a été le lieu de passage de tonnes de lingots d'or nazi. C'est un conducteur d'autocar opérant la liaison entre Canfranc et Oloron qui a levé les soupçons qui pesaient sur l'histoire. En l'an 2000, il découvre dans la gare des papiers évoquant les « *lingotes de oro* ». Il n'y avait alors plus de doute, et plusieurs témoignages vérifiaient les rumeurs. Pendant la guerre, des dizaines de convois d'or passèrent par Canfranc. Pillé dans les pays occupés, l'or nazi en provenance de la Suisse filait vers l'Espagne et le Portugal. De quoi payer le tungstène livré par Salazar et Franco pour armer la Wehrmacht.

Oubliant mon café, je feuillette chaque livre, comme un enfant se jette sur les bandes dessinées au supermarché, attendant maman qui remplit le caddie.

L'armée allemande occupa le quai français de la gare de Canfranc dès l'hiver 1942. Une aubaine pour ces convois fantômes qui passèrent sans inquiétude en Espagne. On parle aussi d'œuvres d'art, d'opium, de tonnes de bijoux et de montres volés aux déportés. Depuis l'Espagne, le trésor filait aussi en Amérique du Sud. On préparait déjà la fuite des meurtriers en Argentine ou au Chili.

La gare de Canfranc devenait un *hub*, dans le langage global de notre formidable économie dérégulée. Les Anglais avaient même des indics qui rôdaient dans les couloirs de la gare. On prenait les informations à la douane, on essayait de savoir. Alors que d'autres fugitifs s'enfermaient des heures durant pour passer le Somport. Canfranc était une fourmilière où tout se faisait en sous-sol. Le vrai trafic était souterrain.

« Je ferme la boutique ! » Sur la pointe des pieds, la tête par-dessus un rayon, la caissière me réveille d'un coup. Dans sa polaire rouge au nom de l'établissement, la bonne femme ventrue, trop maquillée, a compris que je venais de l'autre côté des Pyrénées. Je repose le livre, attrape un Cola dans un frigidaire et passe à la caisse. Le tiroir à sous gémit dans un bruit de passage à niveau. Et comme si la nuit trempait, je marche à toute vitesse vers la voiture. Devant moi, dans sa cuvette, étranglée contre la poitrine des monts cabossés, la gare n'est plus qu'une silhouette désolante. Dans l'obscurité, un bâtiment ordinaire : une centrale électrique, un ministère, une cité populaire à l'horizontale. Un paquebot en cale sèche. « Adiós, Canfranc… »

★

Sur la route du retour, j'ai l'esprit en friche, contaminé par l'image de cette gare aux abois. Les paysages à l'abandon me préoccupent. Cette idée qu'on ne va jamais contre la nature. Elle reprend, et elle a le temps avec elle. De quelques mauvaises herbes sur un rail au séisme, de l'infiniment petit au colosse, la nature fait sa loi, dans les Pyrénées et partout. La terre craque et bouge dans ce pays balafré. À l'été 1967, au pied de la Pierre Saint-Martin, trente-cinq secondes ont suffi à ravager le bourg d'Arette. À Canfranc, il a fallu plutôt trente-cinq ans pour rendre les lieux décadents. Gardons-nous de toute ambition. Cette terre reprend. Elle balaie derrière l'homme. Ici c'est une gare, au lieu-dit Los Arañones. Là-bas à Sarajevo, les restes des jeux Olympiques de l'hiver 1984 : un podium, un circuit de bobsleigh ou l'hôtel des champions. À Berlin, un parc d'attractions dévoré par le sable. Sous l'Atlantique, à trois mille mètres de profondeur, l'épave du *Titanic* réduite en poussière. Toute idée de grandeur meurt sous des airs d'apocalypse. Vanité, lit-on depuis des siècles dans l'Ecclésiaste : « Une génération s'en va, une génération arrive, et la terre subsiste toujours. » Certains qui sont à peine sortis de terre peuvent déjà se préparer. C'est un cycle. De la poussière à la poussière. Du sable au sable. Au Qatar, les dizaines de stades bâtis dans le meurtre pour la Coupe du monde 2022 vivront un bel été. Un seul, avant que la dune ne revienne en rampant recouvrir les hauts lieux de l'argent et des exploits. « Il n'y a rien de nouveau sous le soleil... »

L'obscurité désormais est totale dans la vallée retrouvée. C'est comme marcher dans une forêt, et espérer un bout de ciel à l'orée d'une clairière. Misérables, les phares de la voiture vrillent à chaque tournant. On vient se frotter au dos des rochers, premiers murs éclaboussés de carburant au bas des montagnes hagardes. Je quitte la haute vallée et ses mains trop froides. Elles me poussent vers l'aval, et la descente est douce. Il y a dans mon humeur quelque chose comme de la joie. Au milieu de ces précipices, je me sens regardé et protégé. Je ne fuis pas seul. La ténèbre même est pleine d'espoir, de confiance. Non, je ne fuis pas seul. La chaleur revient, et reviennent Pierre, Albert et les heures du monastère. Il n'y a aucun mensonge à parler d'eux comme des hommes de Dieu. Je sais aujourd'hui que s'Il avait une voix, Il aurait la leur. Une voix qui ne s'exprime pas seulement dans les mots, qui est plutôt une présence.

Et dans quelques jours, ce sera Noël. Une fête toute en tristesse, où l'on passe à côté du mystère. Qu'est-ce que j'attends de Noël ? Il ne reste rien de l'enfant impatient qui regarde passer l'Avent. Il s'est enfui. Parce que le mystère de Noël m'échappe, je crois que cette fête divise. Cette fête en famille fait voir à ceux qui se sentent seuls combien ils le sont encore davantage. Noël devrait justement se vivre en solitude, loin des siens. Ce devrait être l'heure où l'inconnu devient roi. On en vient à fêter Noël dans le palais d'Hérode, et on laisse le Christ naître seul en banlieue ou dans la basse vallée. Chez les sans-famille est la Sainte Famille. Oui, Noël devrait se vivre seul, à nomadiser ou bien à accueillir. C'est écrit dans les textes. Dans l'hospitalité, sans le savoir, certains ont accueilli chez eux un ange.

J'arrive au monastère à l'heure du dîner. Le clocher navigue dans la brume des projecteurs qui l'éclairent en soirée. Une fumée flotte sur la lampe, comme si la lumière créait la nue. Les dernières cloches tintent à huit heures. Et puis tout se tait. Il n'y a que l'eau torrentueuse qui ne retient jamais sa clameur. Elle couvrirait le claquement d'une arme à feu. Elle permettrait un meurtre.

Autour du cloître, les couloirs sont noyés dans l'obscurité. Je vogue à l'aveugle jusqu'au réfectoire. Alain est là, les doigts couverts de plâtre. Je lui parle de Canfranc et il fait mine de frissonner. « À part la gare, c'est vraiment la ville frontière sans intérêt, Canfranc... » Pierre arrive, et me demande si tout s'est bien passé avec monsieur Étienne. Nous nous mettons à table et, avant de passer le repas en silence, je lui raconte brièvement ma rencontre. « C'est un homme qui a énormément souffert, Étienne, chuchote Pierre en me prenant le bras. Tu sais, le train, je crois que c'est une manière pour lui de cacher tous ses problèmes. »

Le silence s'impose enfin. Un disque tourne avec des psaumes chantés. À la gauche de Pierre, toujours, Albert a posé son béret. Il déchire son pain, et trempe les morceaux dans la soupe. Sur son visage, il y a comme le reste d'un sourire. Olivier nous retrouve, l'air quinteux. Il ne quitte jamais ses pantoufles et son manteau. Il se braque sur son assiette et, une fois la soupe finie, effrite son pain en jetant des regards inquiets autour de lui. L'accident de l'autre jour est dans la tête de tout le monde. Mais nous n'en parlons plus. Et Pierre s'est expliqué avec Olivier. Xavier sert le repas, avec la légèreté des plats qu'on dépose en silence. Sans fracas.

Pendant le dîner, le silence permet d'échanger bien plus que des mots. Je saisis certains détails. Xavier, par exemple, tient sa cuiller de la main gauche. C'est volontaire, m'expliquera-t-il. Il utilise sa main faible pour se concentrer sur l'instant présent. Peser chacun de ses gestes, prendre son temps. Réapprendre. Je me souviens aussi d'un dîner, l'été de ma première visite. Un hospitalier se plaignait, en plaisantant, de l'absence de vin à table. « Ici, ce n'est pas une maison comme les autres, frère », avait répondu Pierre en souriant. La réponse était sciemment cryptée, et l'homme se déroba par je ne sais quelle autre facétie. Je connaissais un peu certains hôtes de la « maison ». J'avais deviné de quoi il s'agissait. Un des « familiers » tentait de vaincre l'alcoolisme. Je revois ses doigts tremblants quand il roulait sa cigarette. Sa bouche noire rongée par la boisson, ses lèvres crevassées. Pour Pierre, il n'était pas imaginable de boire devant lui. Nous étions une vingtaine à table et, pourtant, nous devions tous être astreints au même régime. Jusqu'à ce que cet homme soit guéri, ou jusqu'à son départ vers l'ailleurs, il n'y aurait pas de vin à table. On se contenterait de l'eau de la fontaine. L'effort viendrait de tout le monde. Si on ne partageait pas le même esclavage, on devait accepter la même contrainte. Aujourd'hui, je vois en Pierre un homme acharné contre les dépendances, qui laisse chacun vivre librement sa recherche de

Dieu. Personne n'est forcé d'aller aux offices.
Pierre ne touche pas aux vies intérieures. Mais
il combat le chancre en chacun. Il ne supporte
pas d'assister à la chute d'un homme.

La plupart d'entre nous se retrouvent à complies. Il faut appeler père Albert, mis en retard
par la vaisselle qu'il tient à mener avec grand
soin. Complies, c'est sans doute l'heure qui
m'attire le plus parmi les habitudes du monastère. Ce sont les dernières complaintes avant la
nuit. Et les psaumes chantent souvent le détachement et l'abandon. « Dieu comble son bien-
aimé quand il dort », dit l'un d'eux. On se laisse
aller à la nuit, dans l'incertitude d'une nouvelle
aurore. Après tout, rien n'est sûr en demain.

Dans la chapelle mitoyenne du chœur de
l'église, Pierre distribue les psautiers fissurés et
entame les chants. Le soir, il relève toujours le
capuchon de son habit, le visage prostré dans la
prière, face au retable du Christ en croix, devant
le petit autel où gigotent les bougies allumées
par Albert.

> Je crois et je parlerai,
> Moi qui ai beaucoup souffert,
> Moi qui ai dit dans mon trouble :
> « L'homme n'est que mensonge. »

C'est à complies que je vois Pierre avec l'impression d'un homme qui connaît aussi ses

faiblesses. Dans l'agitation des heures de jour, on ne voit rien. Ici, ivre de fatigue, abandonné à son Dieu, Pierre consent à relâcher les efforts de sa fonction. Il n'est plus « monsieur le curé », il est Pierre, de la région de Navarrenx, où le gave d'Oloron sabre les arpents de terre humide. Élevé entre les cochons et les vaches dans la morale paysanne par des parents instituteurs. Toute son histoire se lève, car à complies, il y a un goût d'achèvement. Le jour décline, et c'est aussi un peu la vie qui finit. S'abîmer dans la mort doit avoir la couleur du crépuscule crépitant. Puis la paix et l'obscurité soudaine d'une chapelle.

Ils sont rares, les instants où l'on se sentirait prêt à mourir. À se précipiter. Comme un para, sur la passerelle de l'avion, se jette dans le vide. À complies, je reconnais que l'éternité s'offre à portée de main.

Chaque soir, celui-là comme les autres, la prière se termine dans l'église, où nous passons dans le chœur par une porte en bois, au pied du double escalier qui grimpe jusqu'à la Vierge. Sur la pierre froide, près de l'autel et tourné face à la Mère de Sarrance, Pierre récite alors sa litanie des saints.

Il invoque les mystiques d'Espagne, Jean de la Croix et Thérèse d'Avila. L'autre Thérèse, de Normandie, hémoptysique, emportée à vingt-quatre ans dans son lit du carmel. Elle voulait passer son Ciel à faire le bien sur la terre... La

petite Thérèse, folle en Dieu jusqu'à écrire, ago-
nisante : « Je ne meurs pas, j'entre dans la vie. »

Pierre prie aussi Bernadette ramassant son
bois au bord de l'eau. Il fallait une gamine pour
réveiller Massabielle et, d'une grotte lépreuse,
faire une basilique. Et puis Bruno, François,
Augustin, les ermites en oraison et tous les saints
en partance. Padre Pio, le capucin des Pouilles
torturé par les stigmates. Les archanges Michel,
Raphaël et Gabriel, et Martin qui déchira son
manteau pour un pauvre d'Amiens. Dans la
nuit de Sarrance, Pierre nous jette aux pieds
des grands radicaux, des fous en Dieu, de ses
amants.

Et puis, plongé dans la pénombre de l'église,
muette dans ces dernières heures avant Noël,
Pierre avance doucement vers la Vierge. Il monte
l'escalier en bois, derrière l'estrade et l'autel.
Pierre regarde alors la Vierge de Sarrance, pauvre,
sans couronne ni grand manteau. Elle tient l'Enfant sur un genou, pierre fissurée, hésitante dans
sa niche bleu méditerranéen, derrière les bouquets de fleurs déposés par des inconnus. Un
instant, la tête encore recouverte de son capuchon, Pierre ne contemple qu'elle. La Vierge
chantée par Francis Jammes et Marguerite de
Navarre. Et des générations d'enfants du pays
venus déposer leur plaque votive, et les pèlerins
vers Saint-Jacques, qui ont ici confié leur route.
Comme on embrasse sa bien-aimée avant la
nuit, Pierre se penche contre la Vierge et dépose

un baiser sur chacune de ses joues. Il se recule enfin, une dernière fois regarde la statue, et redescend au chœur. C'est alors que nous nous souhaitons bonne nuit, avec une douceur de soir d'été. On regagne en silence les longues galeries du monastère, la pierre noire et épaisse, les frissonnements. Le pas pressé par le froid, chacun rejoint sa chambre et l'ardeur des boiseries. Il est encore tôt, neuf heures à peine. Et c'est comme si minuit avait déjà sonné. Au premier niveau du cloître, tout contre le balcon, je passe la tête vers le ciel. Au plus bas, de longues nappes de nuages défilent à bride abattue. Elles foncent sur Marie Blanque. Et la montagne les déchire, éparpille sur ses hanches le tissu du ciel. Quand il n'y a plus rien, quand la fumée du soir s'est enfuie, avalée par la terre, il ne reste plus que ces grosses femmes étalées dans le noir. On devine tout de leurs formes, vieilles obèses qu'on salue comme on lance un défi. Et un matin de grande provoc', on les toisera en disant : « Voyez, vous ne nous avez pas encore bouffés. »

10

La sonnerie du téléphone réveille Pierre en sursaut. Il croit un instant qu'il l'a rêvée. Mais non, l'appareil bourdonne encore sur la table de chevet. Qui peut bien l'appeler à cette heure où la nuit est à son milieu ? Pierre plonge son bras dans l'obscurité, à l'aveugle, comme on tâtonne pour avancer dans le noir. Il attrape le téléphone dont il essaie aussitôt de deviner le numéro. Il est inconnu. Une série de chiffres. Il ouvre le clapet :

« Oui ?

— Frère !

— Oui, qui est-ce ?

— Frère, vous me reconnaissez ? »

L'homme parle en béarnais et, grâce à ces quelques mots inquiets, Pierre reconnaît la voix. Il répond alors :

« Oui, bien sûr que je te reconnais. Qu'as-tu pour m'appeler à cette heure ?

— Frère, ce que je vis cette nuit est tellement

dur, que je ne vois pas qui je pourrais appeler sinon vous, à cause de votre foi. »

Il est deux heures après minuit. Le monastère dort, frileux dans sa pierre du pays. Au premier niveau du cloître, le parquet craque comme le pont d'un navire au mouillage. Après minuit, plus rien n'avance. On tangue, secoué par les pluies, effrayé par les montagnes qui se dressent comme autant de vagues scélérates. Tout est à l'arrêt. Dans sa chambre, Pierre a déjà enfilé son habit déposé sur une chaise en osier, contre le bureau noyé sous les papiers. Ces tracas du jour qu'on ne regarde plus la nuit. La porte à peine ouverte sur le cloître, le froid saisit au cou, attaque la peau. L'haleine fume. À chaque inspiration, c'est un glaçon qui s'enfonce dans la gorge. Pierre jette un regard au ciel, les mains agrippées au balcon. Des barbes de nuages passent en troupeaux, excitées par le vent. Les étoiles contaminent ce plafond comme des taches trop lointaines, englacées. Pierre descend au réfectoire, avale un fond de café froid qui stagne dans la cafetière, et décroche la clef de la voiture pendue à son clou. Il fait enfin couler l'eau chaude, et en remplit une pleine carafe. Il traverse les couloirs, la galerie du cloître. Le froid transperce. Sur la place devant l'église, on entend le pas de Pierre qui tasse les gravillons. On entend surtout le glouglou de la fontaine serrée contre le vieux lavoir. Et la rumeur d'eau froissée derrière les maisons, le torrent lâche en fuite vers Oloron. Pierre verse l'eau chaude sur le pare-brise envahi par le gel, et fait démarrer la voiture. Les phares percent le brouillard de nuit, renvoient un peu de vie contre les murs. Et Pierre file enfin sur la route nationale, tumeur asphyxiante qui cancérise la vallée, noue son poumon.

La discussion au téléphone s'est poursuivie. Mais il n'y avait plus de doute. Il fallait partir, répondre à l'accablement. « Sinon vous, à cause de votre foi. » Quand il n'y a plus personne, quand tout est ravage, il n'y a plus que monsieur le curé. Et curieusement, il y a bien davantage. La nuit, toutes les barrières sont franchies. Les comportements deviennent somnambules. On ne contrôle plus. L'homme retourne à ses angoisses d'enfant, et la mort transperce certaines intuitions.

Sur le pare-brise, la climatisation éteint la buée dans ses conquêtes. Pour se maintenir en éveil, Pierre chuchote une prière :
« Restez avec moi, Jésus, parce qu'il se fait tard et que le jour décline… c'est-à-dire que la vie passe, la mort, le jugement, l'éternité approchent et il est nécessaire de refaire mes forces pour ne pas m'arrêter en chemin et, pour cela, j'ai besoin de Vous. »

Une fois passé le viaduc, il quitte la nationale par la route qui enjambe le gave, et entre dans Escot. La ferme est derrière le col de Marie Blanque. Commence alors la longue ascension, où la voiture toussote dans chaque lacet avant de reprendre son élan. La route remonte alors le Barescou, ruisseau invisible qui gerce la terre jusqu'au gave. La départementale laisse les ravins et les glissoires dans leur piège, ignore les combes. Bientôt, ce sont les pentes revêches qu'on ne surmonte qu'avec peine, en deuxième vitesse. À chaque tournant, les phares s'éclatent sur les arbres en lisière. Surpris, les troncs semblent courir, lassés par leur ombre. Les branches montrent leurs griffes. On dirait que la forêt affolée recule. Pierre murmure encore :

« Il se fait tard et la mort approche. Je crains les ténèbres, les tentations, les sécheresses, les croix, les peines, et combien j'ai besoin de Vous, mon Jésus, dans cette nuit de l'exil. »

La route s'essouffle, le serpent courbe l'échine. Les lacets sont moins rudes, et on devine le col et les hauteurs de Marie Blanque. Le pays est plus sage. Après le ravin de la Canule, une fois le col franchi, il faut redescendre un peu, et s'égarer dans l'Artigasse. Pierre est déjà sur les hauteurs de Bilhères, en vallée d'Ossau, où le plateau dégringole vers un autre cours d'eau. Une terre alors moins sauvage, vallée fertile qui file en Espagne derrière Laruns, par le lac de Fabrèges et le col du Pourtalet. Un décor déplié vers le ciel comme une paume ouverte, loin de l'Aspe mordante. Toute en précipice. Pierre quitte alors la route carrossable à l'aveugle dans ce pays qu'il connaît trop, et suit la route en pierre pâle, réfléchissante. Enfin, la ferme se dévoile, adolescente nue et honteuse surprise en plein caprice.

Le moteur éteint, Pierre finit sa prière.

« Restez avec moi, Jésus, parce que, dans cette nuit de la vie et des dangers, j'ai besoin de Vous. Faites que je Vous reconnaisse comme vos disciples à la fraction du pain, c'est-à-dire que la communion eucharistique soit la lumière qui dissipe les ténèbres, la force qui me soutienne et l'unique joie de mon cœur. »

★

Il s'est à peine approché de la porte d'entrée que déjà un homme ouvre, et se confond en excuses.

« C'est trop bête, monsieur le curé, fallait pas venir. Pardonnez-moi, je ne sais pas ce qui m'a pris. Vous comprenez, depuis des années je ne dors plus. Mais je n'appelle personne, hein, je n'ai personne à appeler. J'ai bien quelques copains à côté, mais vous imaginez, si je vais les voir... Je serais honteux. On ne dit pas sa peur, monsieur le curé. Non, il ne fallait pas vous déplacer. Entrez quand même boire une tisane, ou quelque chose. Mais ça va mieux, vous savez. Enfin, ça passera. Demain est déjà là, n'est-ce pas ? Écoutez, on entend déjà le geai dans les chênes. Monsieur le curé...

— Tu m'as appelé, je suis venu. Alors, asseyons-nous. »

Le vieux berger se sent sot, et défend une fierté dévorée. La parade maladroite d'un homme aux abois. Le visage creusé, la bouche édentée, il vit le sort réservé aux célibataires en fin de vie. Les conditions d'un homme seul dans ces reliefs qu'on fuit. Il devine pourtant que Pierre n'est pas là pour juger. Il ne l'aurait pas appelé, d'ailleurs, s'il craignait un regard. Qu'importe son mauvais chandail taché, l'odeur de restes dans l'arrière-cuisine, les fonds de verre suris. Qu'importe. Mais il est des fardeaux qu'on n'est plus capable de porter. Dans le drame, le monde d'en bas, les journaux et leurs éditorialistes peuvent évoquer la crise qui nous frappe, le pouvoir d'achat qui recule. Ils chercheront la maladie en surface. Six cents agriculteurs se tuent chaque année. À Paris, les ministères lancent même des plans de prévention du suicide. On envoie des psychiatres exorciser en rase campagne. Conférences, tables rondes, numéro vert. Nous n'avons pas attendu les divans pour savoir que notre cœur est malade. Ils peuvent importer leurs réunions dans les salles communales, animer des débats devant vidéoprojecteur, activer des numéros d'alerte... Jamais ils ne répondront à notre dernière question. À quoi bon ? Monsieur le curé, à quoi bon ?

Pierre écoute. Il n'est pas là pour convertir. Dieu ne contraint pas. On l'appelle, il écoute seulement. Mais croire est aussi ce bien qu'on partage. « Vous, à cause de votre foi. » Tout est là. Monsieur le curé, nous voilà loin des églises. De distance il n'y a plus. Ne parlez pas seulement dans la langue du missel. Les cours de catéchisme du dimanche après-midi n'ont rien donné, où les gamins regardaient l'heure tourner. Ânonnaient leur prière à la diable pour aller courir dans les prés de fauche. Il faut tout reprendre. Nous sommes dépassés. Apprenez-nous à prier. Et puisque vous parlez d'amour, alors apprenez-nous à aimer. Loin des premiers rangs, de la piété convenue, des cancans de sacristie. Nous ne croirons pas à cette foi des volets fermés et du quolibet. Seulement, quand vous dites que Dieu est votre seule richesse, nous savons que vous ne mentez pas. Alors. Alors, apprenez-nous.

Autour de l'eau chaude, dans la salle à manger à peine réveillée, blafarde, Pierre et le vieux berger s'entretiennent. Des souvenirs du pays, la course aux hauteurs dès les premières promesses de l'été. Le chien qui aboie derrière les bêtes, donne des coups du museau sur leurs pattes décharnées. Les nuits en altitude où le troupeau devient proie, et la crainte soudaine qui naît d'un bêlement inhabituel ou d'un simple craquement, d'une herbe froissée. Courir le risque du monde animal, c'est aussi jouer le jeu des prédateurs. Et vivre dans la peur, imaginer. De souvenirs enfin, il y a ces retours au hameau après la solitude des mois d'estive. Le bal au bourg où l'on descend se saouler dans la douceur des heures de l'après-dîner. L'air frôle la peau, les humeurs sont électriques. Et le ciel, là-haut, s'offre sans nuages. On a des idées d'évasion. Et puis la fête se passe, accroché à la buvette, le regard envieux ou fixé au bock. On file un coup de coude au voisin pour qu'il invite une fille à danser. On n'ose pas et, dans les blagues pataudes, on dissimule ses incapacités. La soirée passe et les filles rentrent à la maison. Il n'y a plus d'illusions à se faire. La vie se fera seul.

Au petit matin, à l'heure du coq, on se réveille dans une grange sur la route du retour, la tête prise par l'alcool. L'odeur âcre du foin et des poussières donne des nausées, et la bouche asséchée réclame de lourdes gorgées d'eau. On jure en se soulevant, et on remonte au hameau par les chemins de traverse, des souvenirs tristes plein la tête. Le regret des amours manquées, cette danse qu'on a refusée par crainte du ridicule. Oui, la vie se fera seul. Après tout.

Le dos courbé, l'homme a le regard fuyant, la timidité maladive de ceux qui ne parlent jamais. Et l'impossibilité de faire quelque chose de ses mains, confiantes au travail mais mal à l'aise en société, apeurées. Ces mains plâtreuses, tendineuses, torturées par les tâches. On les cache à l'heure du bal, on les range dans les poches du pantalon du dimanche, mal taillé et grossier. Au bourg, les mains trahissent. On salue gauchement, trop fort. On fait sentir les cals sur cette peau sabrée. Cette peau bouffée par le plein air.

Sous la table, un vieux chien soupire, gêné par les pieds. Il somnole dans son monde au ras du sol, lèche une croûte, mord sa peau rouillée d'eczémateux. Il a des rêves de poussières et de miettes, de pieds de chaise, de gamelles pleines. Des rêves à sa hauteur. Pourtant il en a vu, des estives, il a couru les routes, cul au troupeau. Jouant l'enragé pour faire avancer les bêtes, confiant dans l'affection exclusive de son maître.

Ce vieux monde s'effondre ? Pierre dit que non. Les souvenirs invoqués déjà le rappellent. Et puis, il y a ce Noël qui approche. Il faut attendre Noël lorsqu'on n'attend plus rien. Nous sommes sauvés. Nous sommes déjà sauvés. Ces mots n'ont pas deux mille ans, et la foi ne se range pas dans la durée. Elle ne participe pas à l'enchaînement cafardeux des jours et des nuits. Le temps est vain, désespérant, s'il n'a pas un goût d'éternité.

Ces bombes qui volent, les complots qui éclatent, comprendra-t-on un jour que ce sont les dernières convulsions du Mal ? Le Démon est en perdition. Alors il gigote, il tire dans tous les sens. Il envoie ses derniers soldats exploser leur ceinture. La vipère a déjà le cou brisé. Dans ses spasmes, elle crache des caillots de venin, elle frappe ce qui l'entoure. Abattue, elle se rassure dans la mort. Voilà deux mille ans que le Mal a perdu. Seulement, le temps est trop long pour ce bout de monde que nous sommes. Incapables à l'Amour. Réclames, émissions de télé, tubes de variétés... Ils nous le vendent à domicile, leur amour, ils bradent un vocabulaire qui ne veut plus rien dire. « Adopter un mec » ou « tromper sa femme » seraient des actes sulfureux. Non, le vrai scandale a deux mille ans.

Ce qui est d'origine modeste, méprisé dans le monde, ce qui n'est pas, voilà ce que Dieu a choisi, pour réduire à rien ce qui est.

Alors, aimer. L'acte ne suffit même pas. Il faut aimer l'Amour. Dans le doute, l'inconstance, hélas. L'Amour connaît ses nuits d'hallali, son désert de glaciers. Et ceux qui assimilent la foi à du roc se trompent. Ou ils sont bien sûrs d'eux. Elle est un marécage, une ténèbre. Elle a ses chemins de pierre criblés de trous. La route est torse, affligeante, jusqu'à cette révolution.

Ce qu'il y a de fou dans le monde, voilà ce que Dieu a choisi, pour couvrir de confusion les sages ; ce qu'il y a de faible dans le monde, voilà ce que Dieu a choisi, pour couvrir de confusion ce qui est fort.

Les heures ont filé, et le temps n'a plus cours. Déjà l'aube fait connaître ses sifflets. Oui, frère, on entend le trille du geai dans les chênes. Et le bon vent qui lave les haleines de la nuit. Dans le noir, on devine la vie. Elle reprend. Alors c'est ça... C'est ça, accepter d'être aimé. Ressentir cette déchirure au cœur, ce ventre scié en deux, secoué. Le cœur pantelant, cassé par une lame. Ivre d'adrénaline. Être aimé. Sentir les jambes qui tremblent et, de mots, ne plus ressentir le besoin d'en dire aucun. Car enfin c'est le cœur qui parle, et qui rit. Pur scandale. Nous sommes sauvés. Il n'est pas question de science. Moquons-nous du savoir. On ne court pas à l'Amour par la théologie et les livres savants. Les mots rendent aveugle. Alors, accepter d'être sauvé, rédimé. L'Amour igné pose sa flamme et choisit.

En silence ils se lèvent. La fatigue s'est installée. Elle guette chaque bâillement, les paupières tremblantes, les gestes trop mous. Chez chacun elle s'engouffre. Sans mots, Pierre et le vieil homme se serrent la main, avec la complicité des nuits de veille. Le chien bondit sans énergie, et se frotte à l'habit de Pierre. Dans un dernier coup sur l'épaule, ils se disent au revoir. « Ne prenez pas froid, monsieur le curé. »

Déjà on est à cette heure où l'aube prend des airs de pleine lune. On voit dans l'obscurité. Les objets reprennent forme, comme un dessin dont on reconnaît peu à peu les courbes. Plus loin, le chevrier trait ses bêtes. En ville, les éboueurs balaient dans le verre brisé et les odeurs méphitiques. Vies parallèles des heures creuses. Silence radio. Un jour, on sera tellement sur terre que la vie ne s'arrêtera plus. On sera obligé d'avoir deux gouvernements. Un pour le jour, un autre pour la nuit. Les métros rouleront toutes les deux minutes, trimbalant les mêmes travailleurs en quantité. La nationale ne désemplira pas. À Sarrance, il n'y aura plus de dimanche sans camion. Le rêve des salles de marché et des financiers camés. Ça viendra. De jour comme de nuit, la même foule. Il faudra des casques audio pour écouter le silence. Alors oui, à quelques campagnes sera épargnée cette vie sans limites. Mais au rythme où on les quitte, elles seront bientôt des no man's land. La nature aura repris tous ses droits. Celui d'étouffer les granges, de faire éclater la pierre et de chasser les ruines. Le silence déjà fait peur. Celui-là sera terrifiant.

Alors qu'il s'apprête à refermer sa portière, Pierre voit le vieil homme venir à lui d'un pas pressé.

« Frère, frère ! »

Il ressort.

« Qu'y a-t-il ?

— Frère, dites-moi. Si... Je ne sais pas, mais... Mais si on m'appelle, si je sens cette chaleur en moi, un renouveau. Enfin... s'il vient un ange, comment je saurai si c'est Dieu et non pas le Démon qui m'appelle ? »

Pierre alors s'approche. Il prend le bras du berger. On devine tous les gestes dans cette fin d'obscurité étale, folle d'espérance.

« Si le Démon vient vers toi, tu sentiras l'agitation et la colère. Il n'y aura que vengeance et peur, et chute vers la mort. Quand c'est Dieu, frère, il y a une infinie douceur. Tu ressentiras la paix, le silence. Il n'y aura qu'humilité et don de soi. Alors oui, le Démon peut se déguiser en ange de lumière. On sait aujourd'hui comme le Mal est puissant. Mais vois-tu, le Démon ne sait que se déguiser. Et le signe de la Croix le chassera. »

★

La voiture de Pierre dégringole vers la vallée, aux premières lueurs de l'aube. Le ciel s'ouvre au grand est, exfolié. Le plafond craque. Dans ce mélange de nuit et de jour, cette nuit sans cesse gagnée par le jour, les phares ont perdu leur autorité. Ils font rire même, éclats livides dans ce décor sans mesure. Cerné par la fatigue, impuissant, Pierre ira tout de même chanter pour matines. Il retrouvera Albert. Son pas traînant, son regard doux. Le vieux berger, là-haut sur Marie Blanque, il doit déjà dormir. Sommeil retrouvé.

Des histoires comme celle-là, Pierre en a des dizaines en mémoire. Sa mère ne s'y trompait pas, qui lui disait fièrement : « Pierre, l'histoire de ta vie dépasse la fiction d'un roman. »

D'histoires, j'ai voulu en raconter une parmi d'autres. Il y a un autre récit qui s'ouvrirait ainsi, par cette phrase que Pierre connaît par cœur. Une femme désespérée, prête à quitter son homme, venue le voir pour lui confier :

« Frère, je suis jalouse.

— De qui êtes-vous jalouse ?

— Je suis jalouse de ce Dieu que mon mari aime et que je ne connais pas. »

11

Ça y est. Voilà. La neige est tombée. On ne l'attendait plus et elle déboule sans prévenir. En morceaux de papier elle a quitté le ciel. Il y en a eu un, puis deux, et tout un décor s'est effondré. Il y a surtout eu cette lumière pour gicler d'en haut, rendre impossible un regard vers le ciel. Et les papiers ont continué de pleuvoir par vomissements soudains. Tout s'est précipité, on n'y pensait plus.

Elle ne restera pas longtemps dans la vallée. Mais sur les sommets, sur Marie Blanque, plus rien ne bouge. La neige étouffe, elle stagne comme un vieillard s'assoit. Oui, la nature prend du poids. Chacun se maquille, s'enroule dans le blanc électrique, dans la couverture lumineuse, cette poussière zénithale. On joue le jeu. Quand il neige, c'est carnaval. On cache tout, et le pays se couvre de légende.

La neige nourrit bien des contes pyrénéens, des histoires dantesques que les grands-mères racontaient à la veillée. Chaque vallée a sa propre version, modelée avec le nom des hameaux à l'entour, d'un col à franchir ou d'un calvaire.

Sur la montagne qui domine le lac d'Arizes, à l'ombre du pic du Midi de Bigorre, un patriarche millénaire élevait ses bêtes. Assis sur sa pierre, il regardait son troupeau paître lorsqu'une pluie blanche vint fondre sur sa peau. Une pluie de laine brouillait le ciel et couvrait sa terre. Le pâtre comprit alors que des temps nouveaux arrivaient. Il rassembla sa famille. « *Christiandat arrenhe* », dit-il alors à ses fils. « Le christianisme est arrivé… » Une nouvelle époque venait sur son pays. Et lui, le pâtre aux mille années, dut s'enterrer. Il demanda alors à l'un de ses fils de réunir un peu de blanc, et d'en faire une boule. La famille vivait dans une borde des hauts pâturages. « Fils, jette cette boule vers les sommets ! » Mais la boule prit le sens inverse, et redescendit la pente. Depuis lors, la neige s'est mise à tomber dans les vallées. Les fils quittèrent leur père et s'installèrent plus bas, délaissant le haut pays pour les eaux chaudes et une terre fertile. On a enterré le pâtre ancestral. Aujourd'hui, on raconte qu'il serait enfoui sous les pierres d'un sommet qui surplombe la vallée de Lesponne, à la frontière avec celle de l'Oussouet. Sur une croix en pierre, une bouffissure dévoile un visage effrayant, primitif. L'*Era Croutz de Beliou* serait le dernier refuge du pâtre. Et plus bas, dans les vallées, on raconte sa légende aux gamins. Les femmes aux cheveux gris chantent leurs complaintes et regardent tomber la neige.

★

Alors, c'est comme si la neige annonçait un peu Noël. Sur la route nationale, les camions passent moins nombreux, dans un bruit mat. Comme s'ils roulaient dans du coton. Marie Blanque est plus grasse mais on ne craint pas qu'elle gémisse. Même le gave respecte l'arrivée du calme. L'eau chuchote. Je me lève dans cette lumière en miroir. La terre enfin répond au ciel, et pour quelque temps éclipse sa lèpre, ses taches noires. Ses pauvres maladies. À peine noyé de neige, le monastère est silencieux, sans bruit de pas. Je prends mon petit déjeuner avec Albert. Pierre est déjà parti, et Albert fait la moue d'un air de dire : « Tout ça va bien trop vite pour moi. » Et puisqu'il n'y a personne visiblement, il dira sa messe tout seul dans la chapelle. Je le regarde préparer son office. Albert fouille dans une armoire, enfile son étole. Il va chercher un peu d'eau dans la sacristie et fait tinter les burettes qu'il dépose sur un coin de l'autel recouvert d'une cretonne. Longuement, trempant son doigt sur sa lèvre, il tourne les pages de son missel. Albert se trompe, tourne et retourne les pages, une à une. Plus haut, comme si ça venait du grenier, dans le grondement tassé d'une drisse qu'on frotte sur du bois, on entend la cloche qui sonne pour dix heures. C'est un bruit qui n'en est pas vraiment un, tant le silence qui précède et qui suit l'étouffe. Albert regarde sa montre, s'affaire encore. Il prépare sa messe comme si l'église était pleine, qu'on accueillît l'évêque. Comme si les grandes orgues allaient annoncer une procession de couleurs et d'aubes blanches, de céroféraires, d'encens d'Orient. La chapelle d'Albert est une cathédrale dans le mystère de l'office qu'il s'apprête à dire. Il vérifie tout de même si personne ne vient par le cloître. La galerie est vide. Il n'y a que les pierres. Et sur le jardin intérieur, la lumière asphyxiante des jours de neige. Albert referme alors la porte de la chapelle toute en pénombre pour officier, seul.

*

Du réfectoire tout à coup éclate un boucan de foire. Deux grands gars sont debout, un peu paumés, hagards. Xavier prépare le repas et essaie de parler avec eux. Xavier dans son gros chandail mauve, toujours, et ses odeurs de lessive. On leur sert un café, et je m'assois un peu à leurs côtés. Je comprends qu'on les connaît. Ce n'est pas la première fois qu'ils entrent au monastère. Des types à problèmes, des vagabonds. Ce sont les camés de la vallée qui errent de villages en hameaux. Ils clochardisent et dorment dans les resserres ou l'appartement d'un vague copain.

Au monastère, accueillis une, deux, trois fois, ils restent d'éternels errants dans un quotidien hors contrôle. La discussion est compliquée, et il vaut mieux boire le café en silence. Je suis marqué par l'infinie beauté de ces deux gars. Le teint mat, le visage recouvert d'une barbe de plein air, la non-chalance du défoncé. La peau aussi dure qu'un fruit sec. L'un d'eux a des yeux gris de loup sans défense, de bête à l'abandon bien décidée à crever. Ils n'ont pas quarante ans, ces deux-là, et une existence en pagaille. La drogue a fait le boulot, le hasch et la morphine ont dévoré les corps. Pour eux, et pour un tas de bonshommes, la vie n'est qu'une foutue foire du Trône. Elle se passe à tourner sur un manège. On tourne et retourne. Dans leur petite auto, dans leur tasse, il y a ceux que le manège amuse. Qui hurlent. Puis, les habitués, qui tournent sans émotion. Les yeux dans la lumière synthétique, écarlates. Pupilles dilatées. Ça leur va bien, ce manège, ils n'ont même pas à tourner le volant, à com-mander les boutons. On tourne tout seul. Et autour, l'odeur de friture rassure. Enfin, il y a les autres, nos clochards de la vallée. Les derniers que le manège ne séduit plus. Ils descendent de voiture, ils traversent la piste, maladroits, bous-culés, et tombent sur le bas-côté. Lentement, la tête pleine d'étoiles, ils se dirigent vers un autre stand. Fête foraine. On tire à la carabine. On leur promet une peluche, des jeux vidéo, une confiserie. Ils n'y croient plus. Alors ils chargent leur arme, ils visent un temps. En joue. Et puis, désespérés, ils tournent l'arme contre eux et appuient sur la détente. Ils s'effondrent et ce n'est plus un rêve. Pour ceux-là, l'attraction est finie. On les évacue et ils seront bientôt remplacés. Mais tout autour, le cirque continue, le manège. Le ciel n'arrête pas de giroyer. La friture dégouline de pleins saladiers. Ça ricane, hurle encore. L'existence est une foire. Un parc d'attractions pour cinglés, où certains se savent déjà condamnés.

C'est fou comme on se sent limité à côté de ces types. On manque d'expérience, incapable de dégoter une discussion neutre, un moyen de rigoler ou de faire vraiment connaissance. Le silence ne gêne que nous, d'ailleurs. Eux, ils s'en tapent. Ils boivent leur café, et lever la tasse aux lèvres fait trembler leurs bras. Pauvres hommes qu'on prend pour des enfants.

Et puis, accueillir la misère, le sordide… Jusqu'où ? La vue de ces gars en état de destruction avancée me balance dans saint Paul :

> J'aurais beau parler toutes les langues des hommes et des anges, si je n'ai pas la charité, s'il me manque l'amour, je ne suis qu'un cuivre qui résonne, une cymbale retentissante.

La charité a-t-elle des limites ? Qu'un bonhomme trébuche, on le relève. Entendu. Mais quand il se fait tomber tout seul, qu'il déserte l'hôpital et ses cures. Quand il hurle à l'indépendance pour se défoncer davantage et filer droit vers la dépendance... Où est la limite ? Saint Paul a tout dit. C'est foudroyant.

J'aurais beau distribuer toute ma fortune aux affamés, j'aurais beau me faire brûler vif, s'il me manque l'amour, cela ne me sert à rien. [...] L'amour supporte tout, il fait confiance en tout, il espère tout, il endure tout. L'amour ne passera jamais.

Pierre entre alors au réfectoire et salue les vagabonds. Il a encore son manteau, son béret. Il les connaît bien et a tout essayé. L'un d'eux déjà s'en prend à la charité de l'Église, et celle de Pierre. Ici, on les a plusieurs fois mis à la porte. Il bougonne comme un gosse gémit ses caprices. Cette misère pourtant, il l'a aussi choisie. Elle lui donne le droit de ne s'occuper que de lui. Il oublie trop vite que la rue aussi peut être un confort, une sale habitude, le nid des velléités.

Pierre les accompagne dehors, et aucun des deux gars n'oppose de résistance. Ils le suivent, et la porte du réfectoire se referme, après avoir laissé fuir un courant d'air gelé. Je suis seul dans la cuisine avec Xavier, qui aussitôt m'explique :

« Ces gars passent souvent. Le plus épais a beaucoup déconné : des agressions, des accidents de voiture, la prison... Et l'autre est devenu schizophrène à cause des drogues. Il touche une petite pension et j'essaie de l'aider. Mais, chaque fois, il replonge. Pourtant, on était à deux doigts de le sauver. »

Xavier découpe des oignons sur une planche. Il s'essuie les yeux, et discute la tête penchée sur son travail. Il parle du gars aux yeux de loup, du plus beau des deux, un vagabond à la Kerouac. Et je sens surtout chez Xavier l'affection d'un père pour ce beatnik.

« Toutes les portes se ferment devant lui. Ses parents sont morts, son frère ne veut plus entendre parler de lui. Même avec ses copains de pétard les liens sont rompus. Il n'a plus rien, ce gars-là. Alors qu'est-ce qu'on fait ? On le laisse crever ? »

Xavier a passé un tas de coups de fil pour l'envoyer en désintoxication. Il range la chambre du loup, laissée à l'état de porcherie. Il se porte garant, et va même le chercher jusqu'en Dordogne, où il s'est retrouvé dans le fossé, la voiture éventrée. Xavier ne le laissera pas mourir. Du moins, il aura essayé. Il est dans saint Paul, voilà un gars qui a compris les textes sans se laisser emboucaner par les premiers rangs d'église. Les « faites ce que je prie pas ce que je fais ». Tout y est :

J'aurais beau être prophète, avoir toute la science des mystères et toute la connaissance de Dieu, j'aurais beau avoir toute la foi jusqu'à transporter les montagnes, s'il me manque l'amour, je ne suis rien.

154

Xavier me raconte comment les clochards ont débarqué dans la vallée. C'était il y a plusieurs années, au moment de la construction du tunnel du Somport. Un tas de gens se sont opposés à l'arrivée du trafic barbare dans la vallée. Réunis autour de « l'Indien », un montagnard charismatique, écolo, ils se sont installés dans l'ancienne gare de Cette-Eygun. Un repaire baptisé « La Goutte d'Eau ». Coincée entre la route et le gave, la Goutte a attiré les utopistes. Une vie parallèle, rêvée, pour les marginaux en tous genres. On avait créé une tribu, un campement sauvage pour refaire le monde. Bon Dieu, comme on était loin de l'horreur des villes, des salles de marché puantes. De Paris, Londres, New York. On vivait les années quatre-vingt-dix faiseuses de fric dans l'espoir d'un nouveau Mai 68. On se lavait dans le torrent, on pissait, porte ouverte sur la montagne. Et puis, il y a eu les ennuis. Cette nuit noire où une expédition de valléens excédés vint brûler le wagon de la Goutte d'Eau. Ou la mort d'une gamine un soir de Noël. Son corps malingre sabordé par la drogue, les convulsions, l'overdose.

Les actions contre le tunnel se sont faites plus rares et, en 2003, la montagne était bien trouée au Somport, où quatre voies laissaient les camions s'engouffrer à toute berzingue en pleines Pyrénées. L'ancienne gare de Cette-Eygun, tatouée de graffitis, est restée un squat où l'on vidait les packs de Kronenbourg. Le pétard tournait et les raves bruissaient dans la vallée certains soirs de défonce. Et puis un jour, les gendarmes ont muré la Goutte. Ils ont déposé de la rocaille autour. Les derniers apaches n'avaient plus qu'à rentrer dans leur famille comme des fils prodigues. Et les autres, les fils de rien, continuent d'errer dans la vallée. Les galeux nomadisent à l'aveugle. Un tour à l'asile, un autre au trou.

Aujourd'hui, la gare de Cette-Eygun n'est plus qu'une silhouette fantomatique. L'allure d'un spectre sur la route d'Espagne. La vision de l'horreur, du cafard. On dirait une hyène empaillée de béton armé, recouverte de peinture, de tags – « La Goutte qui fait déborder le vase ». Comme si ça ne suffisait pas, la brume flotte autour du sinistre, dans cette cuvette en fond de vallée. La fête est bien finie. Les Indiens ont déserté la réserve.

« Des gars comme ça, Pierre en a accueilli des dizaines au monastère. D'autres venus d'ailleurs, aussi. Des gars cramés qui marchent pieds nus, sans sac. Pierre sait qu'ils ont fait des choses pas claires, mais il accomplit son devoir d'accueil. »

Xavier diminue l'intensité du gaz sous une casserole, et reprend :

« Je me souviens d'un pèlerin anglais qu'on avait retrouvé reclus dans une chapelle latérale de l'église. Il était dans le noir, trempé, en boule dans un coin. Alors, on l'a mis au chaud, on lui a donné une chambre. Et au matin, il n'était plus là. Il avait déroulé des mètres de papier toilette dans sa chambre. C'est ça, d'être sur le chemin. Les gens passent, et il y a de tout. Mais les timbrés, tu ne peux pas les accueillir indéfiniment... La plupart continuent de boire ou de se droguer. On a déjà eu des problèmes d'agression avec des pèlerins qui passaient. Alors, on est forcés de les envoyer à l'hôpital. Et quand ils reviennent, Pierre est obligé d'être sévère, et au bout d'un moment de les foutre dehors... »

La porte s'ouvre. C'est Alain qui arrive à toute vitesse en criant :

« T'as vu, ils sont revenus !

— Oui, ils étaient là il y a un instant, Alain. Pierre s'occupe d'eux.

— J'espère qu'il va pas les garder, quand même... Il ne se rend pas compte, Pierre, parfois, hein.

— Mais si, Alain, il se rend bien compte. T'en fais pas.

— Ouais, moi, j'en veux pas, de ces gars-là. L'autre a essayé de m'agresser l'autre jour à Bedous. Des cinglés ! Et puis ça va, ils ont jamais bossé et ils restent là, à réclamer... »

Xavier soupire. Il sait qu'Alain n'a pas tort. Et puis quoi... La vie parfois nous projette contre les autres. On aime un gars, on réclame une amitié, et elle est impossible. On s'attache même aux crevures. Dans les déboires, d'échec en échec, toujours croire en la rédemption.

★

Pierre revient alors qu'on tire sur la cloche du cloître pour annoncer le déjeuner. On est tous au réfectoire, et Xavier apporte la marmite sur la longue table en bois. Alain, plus calme, a fini ses mots fléchés. Il lit le journal.

« 7 100 chrétiens tués en 2015 pour leur religion », s'exclame-t-il tout à coup à la lecture d'une brève. Aussitôt, Pierre répond en dépliant sa serviette :

« Et combien de non-chrétiens, frère ? » Au moment de dire le bénédicité, il va même jusqu'à prier pour les bourreaux.

Enfin, le déjeuner commence, dans le bruit timide des couverts choqués contre l'assiette. Par les lucarnes en hauteur, une lumière criarde s'enfonce dans la pièce. Elle éclate comme un geyser et nettoie tout. Le bois des meubles brasille, la poussière vole en essaim. Quand le ciel entre quelque part, il donne une valeur à l'insignifiant.

À la fin du repas, Pierre me propose de le suivre chez un chevrier d'Aydius pour le café. Un Breton d'une quarantaine d'années venu s'installer dans la vallée. « Il était dans la banque, et il a tout quitté pour venir ici avec sa femme et ses enfants. Tu vois, il n'y a pas que des vieillards comme moi, ici ! »

Comme à son habitude, Pierre précise bien à Albert que nous serons de retour dans l'après-midi. Les manches retroussées et le tablier solidement attaché à la taille, Albert opine, les yeux grands ouverts. Il ne cherche pas à comprendre cette vie qui pour lui roule à mille à l'heure.

Dans la voiture, Pierre évoque la visite du matin.

« Au monastère, tu accueilles tout le monde sans *a priori*. On ne sélectionne pas, on reçoit. Les gars que tu as vus tout à l'heure, on a tout fait pour les sauver. Mais dès qu'ils partaient, ils rechutaient. Je confie toujours au Seigneur, j'espère. Mais tant qu'ils ne sont pas sauvés de la drogue, je ne peux rien y faire.

« En presque cinquante ans dans la vallée, je n'ai pas accueilli que des angelots. Tu n'as pas besoin d'être en ville pour ça ! »

Pierre sourit. Et moi, je devine peu à peu, en partageant ce bout d'existence, que le jeu des contradictions entre ville et campagne a ses limites. Si elles ont bien un point commun, c'est leur extrême violence. Loin des villes, c'est la solitude et le silence qui exacerbent cette violence. Les rixes sont intestines, interminables. On reproche aux grandes villes leur anonymat. On félicite la vie de quartier, la proximité. C'est pourtant ce qui me plaît dans l'agitation des boulevards, dans la foule des transports : avancer entouré d'inconnus. Dans la vallée, les rumeurs courent trop vite. Le bruit précède l'image.

« L'année dernière, au monastère, nous avons reçu pendant plusieurs mois six prisonniers en fin de peine de la maison d'arrêt de Pau. Aucun n'avait été condamné pour une peine de sang, mais on ne connaissait rien d'eux. C'est la préfecture qui avait décidé de les mettre à Sarrance. Et chaque jour, ils partaient travailler sur le chantier du Portalet. »

En haute vallée, le fort du Portalet est une sentinelle sur la route du Somport. On a creusé dans la roche, on l'a gonflée, comme si elle avait subi une chirurgie esthétique. Sur les pentes les plus rudes de la vallée, là où la route titube et ricoche contre le ravin, apparaît cette termitière agrippée à son roc. Avec ses alvéoles béantes, ses cheminées, ses galeries dévorant la roche, le Portalet est un exercice de haute voltige. Il avale les derniers restes de ciel qui percent sur cette fin de vallée à l'agonie, asphyxiée dans une succession d'encaissements voraces. Le fort du Portalet subit les outrages du temps. On a lancé des hommes contre ses ruines et, parmi eux, les six prisonniers en formation.

« Les habitants étaient inquiets, bien sûr ! On recevait des types qui avaient côtoyé la prison, sans rien connaître de leur passé. Mais j'aime bien cette idée.

— Et ils passaient quand même de l'enfermement à un décor inouï.

— C'est ça ! Tu sais, je crois qu'il faut faire crédit aux hommes jusqu'au bout. Nul n'est à l'abri d'être sauvé. Gardons-nous bien de désigner les bons et les mauvais, de montrer du doigt les antéchrists. Souvenons-nous du larron qui se convertit au seuil de sa mort ! Tant qu'un être souffle, tant qu'il vit sur terre, il peut se convertir. Il ne nous revient pas de dénoncer les antéchrists. Alors, pour ces gars, il faut faire le maximum. Et quand ce n'est plus dans nos forces, on les confie à Dieu.

— Comment s'est passée la cohabitation avec les prisonniers, d'ailleurs ?

— Ils travaillaient toute la journée au fort, on les voyait juste le soir. Ils venaient souper parfois. Ils ont tous eu leur diplôme de maçon, remis par le préfet ici. On n'a eu aucun problème. Et je crois que tout le monde à Sarrance est satisfait de cette expérience. »

Nous arrivons à Aydius par une longue route départementale. On l'attrape derrière les ruelles de Bedous, et on croirait foncer droit dans un ravin, au mieux une impasse. Et pourtant, la route louvoie, bordée par un muret en galets et la clôture barbelée qui sépare des prés vides aux pentes irrégulières. La route remonte le gave d'Aydius qu'on ignore alors, trop étroit et recouvert par les arbres qui y boivent. On prend enfin un peu de hauteur pour tutoyer les contreforts de la vallée. La route se dresse, peureuse, parmi ce vert des chênes à perte de vue. On ne voit pas bien là-haut la crête qui sépare l'Aspe et l'Ossau. On sait juste que c'est encore blanc de la dernière neige. Au plus bas, des nuages laiteux somnolent dans la couleur splendide de l'après-midi. La lumière crie. Elle tire à grands coups de canon, aveuglante. À l'orée du village où les premiers toits d'ardoise semblent couler vers le vide, Pierre quitte la route sur notre droite. Nous dévalons alors dans une combe par un sentier carrossable. Devant nous, une ferme surgit, devant laquelle Pierre vient se garer.

« Le long de ce chemin, il y a trois chevriers. Celui que tu vas voir s'est installé en dernier, il y a quelques années. Curieusement, Aydius est un des seuls villages de la vallée qui se repeuplent. »

Le pied dehors, on entend déjà la ferveur des bêtes. L'étable en béton et tôle d'acier court sur une cinquantaine de mètres, le long d'une maison en bois. Et l'odeur âcre qui surprend aussitôt, sèche, pleine de chaleur, de fiente, de lait caillé et de paille. Le chevrier a entendu l'arrivée de la voiture et vient vers nous avec bonhomie. Un gars de grande taille, fin et dégingandé, dans ses bottes en caoutchouc et un gros pull en laine. Il nous fait entrer par une porte vitrée qui donne sur la cuisine, où les outils de travail se confondent avec ceux du ménage. Un foutoir pas possible de vaisselle, de jeux d'enfant. Il demande des nouvelles à Pierre en apprêtant la machine à café.

« Bon, Noël se prépare, j'imagine.

— Oui, c'est demain déjà. Mais ce n'est plus autant d'efforts qu'avant. Je ne célèbre plus la messe de minuit en haute vallée depuis quelques années déjà.

— Il n'y a plus grand monde, c'est ça ?

— Je me souviens de messes où il n'y avait que deux ou trois personnes le soir. En fait, les gens ne se déplacent pas quand la messe est dans un autre village.

— Du coup, il y aura seulement l'office à Bedous ?

— Oui, à Bedous en fin d'après-midi pour les enfants, et la messe de minuit à Sarrance. »

Après un court silence, je demande au chevrier :

« Alors, il paraît que vous venez de Bretagne ?

— C'est ça. On est du Morbihan. Ça fait quoi... cinq ans qu'on est arrivés dans la vallée.

— Mais pour quelles raisons vous avez quitté la Bretagne ? C'est une sacrée trajectoire jusqu'ici... Pierre m'a dit que vous avez travaillé dans la banque, c'est ça ?

— Alors oui, je viens d'une famille d'agriculteurs, quand même, donc l'élevage ne m'est pas du tout inconnu. Mais moi, je travaillais dans une banque, en effet. Et puis avec ma femme on en a eu marre de ce milieu. On voulait revenir à l'agriculture. Elle vient aussi de ce monde-là. Je faisais de l'argent, vous voyez. Dans un bureau, toute la journée. C'était plus possible. »

Je jette un coup d'œil par la baie vitrée. Elle s'ouvre sur les chênaies qui dérapent en fond de combe et, plus loin, se hissent vers les sommets. Essoufflées d'être arrivées si haut, elles lâchent prise devant une pierre couleur graphite.

« Oui, quand on voit où vous vivez, on comprend… Mais pourquoi passer de la Bretagne à la vallée ? C'est peut-être le changement qui me surprend le plus.

— On a visité plusieurs élevages, évidemment. Et puis on a entendu parler de celui-là. Il y avait aussi les voisins chevriers. Ça nous rassurait. Ils nous ont beaucoup aidés, à notre arrivée. Et puis, ici, en fin de compte, je retrouve un peu l'univers de la mer. C'est bizarre à dire, comme ça, mais vraiment, dans le comportement des gens, dans le rapport aux éléments, il y a des similitudes entre la vie près du large et celle en montagne.

— Tu veux dire l'humilité devant les éléments ? demande Pierre.

— Exactement. Je me rappelle bien un écobuage au printemps, peu de temps après notre arrivée. On brûle la végétation en altitude pour entretenir les pâturages. Tous les bergers se retrouvent à ce moment-là pour maîtriser l'allumage. On était une vingtaine, et le terrain est escarpé au-dessus, faut vraiment faire gaffe. L'un des bergers a glissé. Sur quatre cents mètres, d'abord progressivement, puis il a disparu. C'était silencieux, inéluctable. Il est tombé dans la mort avec une facilité... Et nous étions là, sans pouvoir rien faire. Il y avait vraiment une impression de noyade. La montagne reprenait, comme la mer. Peu à peu, elle emportait par le fond, elle avalait. Le reste de l'équipée ne bougeait pas, il n'y avait rien à faire. Nous restions, statiques, sur la montagne, comme on ne déserte pas la terre ferme pour une mer agitée. Ça m'a marqué, cette histoire... »

Et Pierre ajoute :

« Forcément, ça joue sur le caractère des gars. Tu dois avoir chez les marins le même respect qu'ont les montagnards envers la nature. Tu vis de la montagne comme tu vis de la mer, mais tu te construis aussi face à elle.

— C'est pour ça, quand on voit des vacanciers partir faire de l'alpinisme avec un peu trop de légèreté... L'avalanche, c'est comme un raz de marée. Tu ne t'y attends pas. Si tu ne connais pas les couloirs, tu peux en crever. »

Nous terminons notre tasse et passons dans l'étable. La chienne aussitôt saute sur son maître et vient cogner contre nos jambes. Elle tremble, pleine d'assurance dans ce royaume familier : l'odeur animale, la luzerne, la rumeur des chèvres traînant dans leur enclos. Elles sont plus de deux cents à piétiner sur le béton et le foin. Une foule cuivrée qui attend le mois de mai et son grand air, dans l'obscurité de l'étable. Elles intimident avec leur chanfrein noir sur des yeux clairs. On voit leurs côtes, leurs flancs qui s'agitent nerveusement. Et la queue qui se dresse et sautille. Certaines femelles sont tenues à l'écart du troupeau, lourdes d'une nouvelle chair et prêtes à mettre bas. Il n'est pas rare qu'une rixe éclate, où deux chèvres s'envoient des coups de mufle à l'épaule, bousculant leurs voisines. La chienne alors aboie et notre hôte descend mettre de l'ordre dans l'enclos. Et la racaille se calme, trouve un coin d'ombre et ouvre sa gueule pour mâcher un peu de luzerne sèche.

Pierre regarde cette vie close avec le sourire, habitué aux bêtes depuis l'enfance. Il y a comme une logique à voir son habit frotter contre la poussière du sol et le foin rebelle. Ce monde est sien, et dans la touffeur des bêtes peut-être retrouve-t-il aussi l'intimité qu'il perd trop souvent dans le désert de la vallée. Dehors est si dur, et glacé, dans la distance des villages paralysés. Mais ici, parmi cette troupe fauve, naïve, au milieu de ces bêtes qui offrent lait et chaleur, Pierre reconnaît la vie folle qu'il a depuis si longtemps quittée. Il ne parle pas. Il assiste émerveillé à la clameur du bétail. Et nous tournons en silence dans ce bruit pur, engourdis par les fumets et guidés par les rares remarques du chevrier. Autour de nous, enfiévrée, la chienne jappe et se faufile où elle peut, tancée par son maître quand elle saute sur l'un de nous. La visite enfin terminée, on referme la porte comme on s'éloigne d'un monde et de ses grognements. Et ce monde semble cogner contre les murs, réclamer l'air du dehors. Il voudrait réveiller les hameaux, marcher sur les villes. Sa chaleur écarterait la neige. On ferait tomber les volets pour envahir les maisons. Dans chaque ferme, on abattrait les clôtures, on viderait les étables. Voilà, les bêtes fondraient sur la lâcheté des hommes.

★

La voiture quitte la ferme. Nous sautons sur la route. Les jours sont si courts que la lumière déjà décline. Mais la neige tient bon, là-haut, qui fige le pays et offre un peu de blanc dans l'air gris. Il ne reste que quelques heures avant Noël. Une nuit, le jour d'avant, et puis enfin minuit où les cloches sonneront, à Sarrance, à Paris, à Manille. Ces heures suspendues sont radieuses, si légères. Plus rien n'arrive sinon le moment qu'on attend.

Le téléphone de Pierre sonne. Il interrompt ces courts moments de grâce où je chavire dans mes pensées, le regard absent.

« Oui Xavier ? Je t'écoute… Et parle plus fort, s'il te plaît, je ne t'entends pas. »

Le volume du téléphone me permet de deviner la voix de Xavier. Je démasque quelque nouvelle inquiétante. Pierre a ralenti sa conduite.

« Bon, Xavier, on se voit tout à l'heure. Je suis en route, tu entends ? À… Oui, oui… À tout de suite. »

Pierre rabat le clapet. Il pousse un profond soupir.

« Que se passe-t-il ?

— Tu te souviens de Vincent ? Le Bordelais qui est venu jardiner l'autre jour.

— Oui, bien sûr. Je me souviens de la colère d'Olivier aussi…

— Eh bien écoute ce que je vais te dire… Vincent est mort hier soir.

— Mais non ? Et…

— Sa voiture a été fauchée par un camion en Espagne. Il revenait d'une randonnée. »

Je tire les grands yeux. Nous pensons la même chose, mais Pierre n'en parle pas. Pas tout de suite.

« Tu sais, on en avait un peu parlé l'autre jour. Mais, dans la vallée, comme Olivier, il y en a toujours eu beaucoup pour ne parler que d'un Dieu vengeur. Combien de fois j'ai entendu : "Bien mal acquis ne profite jamais." Ou encore : "Ils auront des comptes à rendre." L'homme ressent le besoin d'être vengé. Et moi, je croyais

168

naïvement que les vieilles superstitions étaient mortes. Du temps de mes grands-parents, on parlait de métempsycose. On se faisait chien ou loup pour faire le mal. Il y avait toutes sortes de récits auxquels on croyait. Mais j'ai vu revenir ces superstitions chez des hommes et des femmes beaucoup plus jeunes, tu sais.

— Chez ceux que vous accueillez au monastère ?

— C'est ça. Je ne te parle plus des légendes valléennes. Il n'y a plus personne pour croire à ça. Même s'il en existe encore pour vivre dans les relents d'une religion de la tête baissée et de la punition. Non, je te parle du *New Age*. Une vraie réalité qu'on imagine reléguée aux années 70. Crois-moi, j'ai vécu ça très récemment. Ces gars m'ont parlé de mauvais sorts, et d'ondes maléfiques… Ils veulent vivre des expériences dont ils se rendent captifs.

— En même temps, notre monde manque tellement… je ne sais pas. De sens, d'intériorité. Je ne sais pas comment décrire ça.

— Il a toujours manqué de sens. Peut-être qu'on s'en rend compte davantage aujourd'hui. Pour te dire, je n'ai jamais vu autant de jeunes gens à la recherche de Dieu. Mais beaucoup se perdent dans les sciences occultes. Au monastère, j'ai rencontré des gars enfermés là-dedans. Tu peux pas imaginer ! Ils ont une vingtaine d'années et vivent dans la peur. Ça me fend le cœur de les voir comme ça.

— Après, Olivier, il est plus tout jeune…

— Oh non, bien sûr. Il a beaucoup travaillé, et il s'est remis en cause très tard. Mais c'est pareil, il s'est engouffré dans l'occultisme. Ça l'a dévoré.

— Oui, je le trouve marqué. Physiquement même.

— Et le problème avec la mort de Vincent, c'est qu'Olivier va se persuader qu'il avait raison. Et les mauvais bruits vont courir dans la vallée… »

De nouveau, Pierre soupire. Puis il se tait, et nous regagnons le monastère en silence, abrutis par la nouvelle.

★

Comme chaque soir après complies, nous sommes réunis dans le chœur de l'église. Il y a quelques cierges dont la flamme tremble. Et tremblent aussi leurs ombres sur la voûte. Il y a ces lampes qui éclairent la Vierge à l'Enfant nichée dans le mur desquamé derrière l'autel. La nef est condamnée à l'obscurité, au vide abyssal. Tout se dresse derrière le chœur en silhouette froide : les bancs, les petites chaises en paille éparpillées dans les chapelles latérales, le confessionnal, l'orgue au fond, comme la poupe sculptée d'un rafiot. Saint Bruno, saint Norbert, saint Michel… Pierre entame sa litanie, le visage tourné vers la Vierge. Et la petite société du monastère est là : Olivier dans ses pantoufles, les yeux toujours mouillés, Xavier, le vieil Albert. Il y a des amis de Pierre, deux frères basques venus depuis leur ferme en pays de Soule. Ils chantent comme des anges. Et le soir après dîner, il n'est pas rare que l'un d'eux entonne un chant basque dans le réfectoire.

Soudain, au fond de l'église, la porte d'entrée gémit. Quelqu'un entre et s'avance timidement dans l'allée. On entend le froissement de son blouson, le pas indécis. Dans la travée, une autre ombre progresse aussi. Ils sont deux à tourner dans la nef plongée dans la même nuit du dehors. Plus chaude seulement, et exposée vers un bout de lumière. Pierre poursuit sa prière.

Je me retourne et devine alors les clochards de ce matin. Il y a le plus épais aux yeux caves, le visage broussailleux, la peau rouge caroubier. Il dévisage les statues, les mains dans son manteau. Il observe une fresque, retire une poussière qui l'irrite. L'autre s'est avancé dans le narthex. Il s'arrête et regarde vers le chœur. Ses yeux de loup percent la pénombre, ils l'éblouissent presque. Ses yeux giclent jusqu'à nous. Xavier se recule et leur fait signe de venir. Il faut tout le monde pour prier la Vierge. Ou simplement pour être là, l'un à côté de l'autre, à espérer la lumière. Les clodos, les défoncés, vous qui zonez sur la route, ralliez-vous. Venez voir, vous arrêter un moment. La contemplation est une vraie vie rebelle, notre satori. Les beatniks ne sont plus là où l'on croit. Rejeter l'esprit de ce monde, c'est savoir le contempler. À l'ombre d'une chapelle, sous les coupoles d'ardoise d'une église en pays de montagne. Sur les chemins où la nature est reine à l'aube, dans les râles de la première lumière. Après tout, nous sommes tous des âmes simples et perdues. Des hères qui rôdaillent en fond de vallée, incapables à la hauteur. Faibles à l'espérance.

Le loup s'avance alors, avec sa barbe de trois nuits comme de la suie sur ce visage d'airain, d'une abominable splendeur. Distrait, éclaté, il regarde autour de lui, la tête courbée et les yeux hagards. Le barbu reste au fond de l'église. À la fin de la prière, Pierre va embrasser la Vierge. Et chacun suit, monte l'escalier pour regarder la statue. Le vagabond y va de son pas hésitant. Il grimpe les marches, une à une, avec souplesse. La légèreté des drogués dansant sur les nuages. Il nous tourne le dos. Alors, il contemple la Vierge, le front haut. Il la regarde dans les yeux. C'est un instant qui dure une éternité, notre clochard devant Notre-Dame. Dans le chœur, on prend congé pour la nuit. Pierre chuchote avec Xavier, donne des consignes pour le lendemain. Et là-haut, sur son escalier, le pauvre errant ne baisse pas son regard sur la niche azurée, sur la petite Vierge en pierre grise, au cou lézardé. Il y a là une intimité qu'on ne connaîtra jamais. On a le sentiment d'assister à quelque chose. D'en être exclu. Le grand murmure des cœurs. Certains, sûrement, préfèrent se confier aux statues. Et ils quitteront la pierre splendide pour rentrer dans la nuit intolérable, dédaléenne. La nuit qui tombe comme un glaucome.

12

Elles sont entrées dans la ville. Les bêtes. Déjà on entend leurs grognements. On devine leur haleine tiède, l'odeur forte des bois. L'humidité, la sueur, mêlées à la crainte. On était prévenus. On savait. Alors les ruelles sont désertes. Chez soi, on a élevé les barricades, fermé les volets. Dans les étables, le bétail transpire, bouscule, se piétine. Mais aujourd'hui les proies ne sont pas celles que l'on pense. L'ours cherche l'homme. La jeune fille, même. Une fois l'an, quand l'hiver expire, sentant l'approche de la nouvelle lune, ils descendent. Ils lancent la traque. Les ours fondent sur le village par les cavées boueuses. La bête un peu bonhomme, fantasmée, devient un prédateur ivre de chair. Comme si on l'avait droguée, elle fouille, gronde. Elle fracasse tout. Entendez. Elle fracasse tout. Et dans le village muet, l'ours devient roi pour un après-midi. Ce roi veut la femme. Il la cherche. Dans leur retraite, les jeunes filles ont le souffle coupé. L'homme se cache seul, sans sa femme. Il sait trop bien qu'elle attire les bêtes. Alors le cœur des filles bat. Elles ont choisi de rester en groupe, et courent, affolées. Elles se retournent dans chaque nouvelle venelle. Leur dos transpirant colle aux murs, râpe la pierre. Et les bêtes reniflent cette odeur de femme, rêvent d'exploits charnels. Le festin aura l'odeur du sexe violé. Puisque l'homme est incapable, il faut l'ours. Ou plutôt, l'homme transformé en ours. Fardés de noir, la peau trempée de suie et d'huile, recouverts d'une tunique en mouton, ces mâles choisis par le village prennent l'apparence de l'ours. Ils adoptent ses codes. Pire, ils y ajoutent la folie de l'homme. La nouvelle lune, ses superstitions, son miracle.

Un cri de vieillard annonce l'approche d'une bête. On se bouscule. On fuit. Un enfant trébuche. L'ours n'arrête pas sa course et, d'un coup de griffe, il grime le visage du gamin étalé dans la poussière. Le regard de l'ours vers l'enfant est menaçant. Mais ces yeux parlent d'héritage. Ils disent : toi aussi, un jour, tu seras prédateur. La joue fardée de suie, le petit se relève, la tête pleine d'un sang qu'il entend battre. Désormais, il regardera les femmes. Il rêvera d'adultère.

Bâton en main, la bête saute sur un muret. Elle prend de la hauteur et lève le museau au ciel. Sa course ne faiblit pas, agile. Derrière une fontaine, un groupe s'enfuit. L'ours se jette en l'air. Un instant. Ses yeux se ferment, il inspire. Et touche le sol. Ses pattes brûlent. D'un coup de griffe, il attrape l'eau de la fontaine comme si elle n'était qu'un objet. Il désaltère sa gorge sèche. Et la grande ruée reprend. Une cloche annonce son passage, l'excite. Le visage d'un homme dépasse d'une fenêtre. D'un saut, il le gifle. Encore un que la suie marquera. Et puis. Et puis derrière une resserre, à travers les planches mal alignées, il devine une chevelure, et la nuque saillante qu'il recherche. C'est une jeune fille. Bientôt elle sera sienne. L'ours fait claquer sa langue. Il crache au sol et s'élance. Ce n'est plus un cri d'humain qu'il entend. C'est un cri de femme, divin, qui se plante au cœur. La folle s'est cachée seule. La nouvelle lune rend dingue. Et il n'y a plus qu'eux dans cette rue. Elle court mais connaît sa fin. L'ombre vandalique la rattrape, et joue. Enfin la griffe se pose sur la nuque, dépose la suie sur cette peau superbe. Et d'un revers, l'ours fait tomber sa proie. Il contemple ce corps pantelant, cette poitrine menue, parfaite. Ce corps mince qui gémit mais ne se débat pas. La fatalité est un droit. On ne s'y oppose pas. C'est l'heure des noces. L'huile, la suie, les sueurs doivent se rejoindre. Cette saleté sera splendeur dans l'ivresse des corps brusqués. Il n'y a plus que des yeux inquiets. Cette peau de jeune fille, presque femme. Si pure qu'on aimerait boire sa transpiration au goût de ruisseau. Et lécher ce visage, le mordre, sentir le masque d'os, le cartilage craquer. L'ours coule sur son butin. Dans l'accouplement mimé, alors qu'un à un les villageois s'approchent, frôlent les murs, alors que le soleil ultime brûle les peaux grimées, la bête sème ses derniers grondements et redevient humaine.

Des hurlements brisent déjà la foule réunie autour du forfait. Un essaim d'hommes en blanc se jette sur l'animal. Ils retirent l'ours de sa proie, sa bien-aimée. Ils le battent. Il râle, gronde encore. L'ours se lève, les yeux révulsés, aveuglés par la sueur, par les giclures de lumière qui crachent du ciel. Autour, le village s'est mué en arène. L'homme qui craignait maintenant se gausse, et réclame la mort. Les volets s'ouvrent. Quelques enfants montent sur un toit pour contempler ce spectacle. Maquillés de blanc, les barbiers traînent l'ours vers la Grand-Place. Armés de chaînes, de haches, de rasoirs, ils poussent l'animal boiteux qui vient cogner contre un mur, trébuche. Gronde une fois de plus vers le ciel trempé de soleil. Autour de lui on rit. On boit le vin noir des plaines, on s'échange la bouteille et s'amuse d'un voisin grimé. La foule se déverse sur la place, où d'autres barbiers entourent d'autres ours. L'ivoire de leurs crocs brille sur leur visage noirâtre. Leurs gémissements étouffent sous les clameurs, les bras levés en l'air, les appels à la vengeance. Vous étiez des bêtes, des rois. Nous ferons de vous des hommes. Les enfants se faufilent comme des cafards à travers la foule. Ils reconnaissent dans la voix des hommes le cri lâche et injuste de leur âge. Dans la bousculade, une fillette pleure. C'est terrifiant, une foule qui rit dans l'odeur du vin et des corps.

Pendant que quelques-uns retiennent l'ours au sol et l'enchaînent, un barbier dépèce l'animal. Il racle sa peau, retire la suie. Il rase le mouton dont la bête s'est vêtue. C'est un duel dans l'humiliation, où l'ours devient homme dans les râles de l'enfantement. Autour, c'est le hourvari, la cohue sous le soleil immobile de février, ses rayons d'acier, ses lames effarantes. Enfin, dans une dernière convulsion, la bête est châtrée. Ses muscles se cabrent. Elle ne gronde plus. Elle a hurlé. La poitrine jetée au ciel, noire de suie, blanche de peau, l'animal se fait homme. Il n'y a plus d'ours au village. La foule recule, reconnaît l'un des siens. Les jeunes filles rêvaient d'enlèvement, de course sauvage. Elles ne voient que des hommes qui se relèvent, asphyxiés, morts de soif. Semblables à tout autre. Ils rejouaient un mythe, où l'on exfolie l'instinct pour démasquer la raison.

★

Je ne savais pas qu'on fêtait encore l'ours dans certains villages des Pyrénées. Je découvre cette mythologie dans un livre poussiéreux de la bibliothèque du monastère. Le carnaval est ainsi fêté dans certains villages sur les contreforts des Pyrénées catalanes. Bien loin de la vallée, derrière le pic du Midi. Où le vent salé n'est plus celui de l'Océan mais d'une mer. La Méditerranée, grand pays d'eau domestiqué. Dans ma fouille, j'ai trouvé de vieilles archives qui racontent l'histoire de l'ours dans la vallée d'Aspe. Des coupures de journaux témoignent du « carnage » de l'ours parmi les troupeaux. C'est l'urgence. Un extrait du registre des délibérations du conseil municipal de Lescun évoque « les craintes de plusieurs cultivateurs devant les ravages causés par les ours ». Le papier date de 1958. « En l'espace de huit jours, entre les 13 et 20 mai, treize brebis ont été tuées et le gros bétail plusieurs fois poursuivi par les ours. » Le conseil municipal demande alors la mise en place d'une chasse en battue. On vit les temps derniers des grandes courses au prédateur. L'homme retrouve l'adrénaline d'un combat d'attente. Il verse dans l'inconnu quand il entre dans les bois, progresse sous les rouvres, devinant derrière les fougères un autre chasseur fusil en main, à l'affût. À grands coups d'épaule on s'envoie des signaux. Un gars pouffe de rire. On lui lance une œillade sévère avant de sourire à son tour. Oui, la battue est une petite guerre qu'on donne. Ce quelque chose dans l'homme qu'on ne veut pas oublier, qui freine la modernité. L'instinct, l'esprit de communauté, et cette folle envie de tirer. Le privilège de dénicher la bête, et de raconter sa prise aux copains. Et puis, l'ours est un peu l'homme resté sauvage. On jalouse cette vie solitaire, de grotte et de prédation. Et si chacun avance à pas feutrés, soulève les branchages en silence, prêt à mettre en joue devant l'ombre du plantigrade, on honore l'ours avec respect. La traque rassure. Mais parmi les bergers, qui oublie les craintes des nuits de solitude en cabane ? Qui n'entend pas encore le bruit de son sang quand, dans l'orage, il imaginait les grondements de la bête autour du troupeau ? Il faut être de la ville pour vivre en vaniteux. Et songer que l'homme est supérieur à l'ours. Nous ne dominons rien.

Les hommes en rangée s'avancent. On croirait une marche funèbre, quelque enterrement au village. Rien. Un groupe se fait deviner, le lieutenant de louveterie à sa tête. Il n'a rien vu non plus. On s'assoit, rallume sa sèche. On s'échange une gourde de mauvais vin. Enfin un coup claque, comme l'éclair foudroie. Des cris d'hommes, un bousculement soudain, la précipitation. Et un second coup. Le bruit ricoche dans la vallée. On pourrait l'entendre en Ossau. Alors l'adrénaline reprend, cette boule au ventre qui serre la gorge. Le cœur devient tambour, et tout le monde court où le coup est parti. Ils l'ont eu ? On espère. Et à la fois on jalouse. Mais oui, c'est ça, ils l'ont eu. Ça rigole plus bas, ça crie. La bête est affalée, sanieuse, comme une énorme bogue de châtaigne. On y était depuis l'aube et on craignait déjà la nuit. Dimanche s'éteignait doucement. Enfin. C'est l'hallali qu'on sonne avec les cloches de l'angélus.

« Après le carnage… une ourse de 80 kilos tuée au cours d'une battue de 60 chasseurs à Lescun. » Le jour suivant, on lit le récit de l'exploit dans *La République des Pyrénées*. « Ce n'était pas, de notre part, jouer au prophète, mais simplement miser sur la ténacité légendaire des hommes de nos hautes vallées. Longtemps les chasseurs, surmontant la fatigue, l'énervement de l'attente et les rigueurs d'une température qui n'avait rien d'estival, restaient en vain à l'affût. » La traque y est racontée avec ses infimes détails, crépusculaire, héroïque. Dans *L'Éclair*, c'est le tireur qui est à l'honneur, et « nous raconte son beau coup de fusil ». Une photographie montre le retour des chasseurs au bourg. La dépouille de l'ours est transportée sur une civière de fortune. De village en village, on la promène, on parle de la traque. De la horde d'ours qui filèrent vers l'Espagne, et de celui-ci qui ne passa pas la frontière, abattu de plein fouet par un gars de Bedous. C'étaient les épiphanies valléennes. Où le prédateur rôdait encore dans les sous-bois. La haute vallée battait au rythme des traques. Il y avait comme une communauté. Et il y eut le désert.

Nous y sommes, au désert. Tracteur et télévision. Solitude. La chasse en battue, les bals au village, ce qui donnait aux hommes des vallées leur semblant de société a disparu. Ou presque. Il faut des prêtres, des clochards. Il faut des indiens, ceux qui crient « non », pour que le lien se crée entre les vivants. Dans la vallée, les anciens regardent cette vie-là avec nostalgie. Mais ils ne regrettent pas. Car, tous, ils disent que personne n'aimerait revivre comme ça. Travailler une terre en pente, hostile, ou bien s'enfuir pour de longs mois avec le troupeau vers la plaine. Pierre m'a appris que les chevriers de la vallée redescendaient même jusqu'à Paris, depuis la Gironde et Cognac. Et ce n'est pas antédiluvien. Il connaît un fils de chevrier né à Paris pendant une transhumance. Ou l'histoire de cette Picarde mise enceinte par un berger de la vallée. L'homme avait fui pour ne pas reconnaître l'enfant. La femme avait alors poursuivi le troupeau depuis Paris. Villages, sentiers et prairies, à s'inquiéter : « N'avez-vous pas vu un berger avec ses bêtes ? » Elle avait pèleriné sans se décourager, prête à mourir plutôt que d'enfanter seule. Enfin, c'est à Orthez qu'elle avait retrouvé le troupeau. Et l'homme, voyant cette femme arrivée jusqu'au pied des Pyrénées, n'avait plus qu'à lui dire : « Maintenant que tu es arrivée ici, je suis obligé de te garder. » Personne ne se sent prêt à revivre ainsi. Alors ce sont des lieux qui se vident. Une danse locale remplacée par une danse moderne et citadine. Des terres exploitées envahies par la forêt et les épineux. Et d'autres, surexploitées, dont on extermine peu à peu les sols. Quant aux ours, pauvres bêtes trop humaines, ils ne sont plus que deux à vaguer dans les sous-bois de la vallée. Truffés de puces, filmés, surveillés comme des bagnards. Ce ne sont plus eux qui assaillent les troupeaux, mais des groupes de chiens errants qui ne tuent plus pour se nourrir. Ils s'amusent, s'ennuient. Un symbole de la société de l'abondance et du déchet. Comme si ce monde du plein avait aussi contaminé les bêtes.

*

Je range mes livres. J'ai rêvé. Vécu des carnavals en Pyrénées catalanes, et de grandes battues dans la haute vallée d'Aspe. Il y avait des rumeurs, on chantait. L'imagination reste tout de même le meilleur viatique au présent. Une chiquenaude à ce monde du plein. Je pense que ce soir nous fêterons le monde du rien. Noël. Noël avec ses bouquets de houx, ses guirlandes de couleur, son vin mousseux, ses supermarchés et leurs vitrines. Ces trains de province bourrés à craquer. Terminus ? Famille ! Chacun chez soi. Et Dieu pour tous ? Tu parles. Dieu pour les pauvres, les clodos, les cramés, les seuls. Dieu pour les faubourgs des Bethléem contemporaines. Bidonvilles, hameaux, fermes à l'abandon, cités populaires. Dieu pour les filles du trottoir, les asiles de damnés et les déments entre quatre murs. Oui, notre jour viendra. On sera tellement surpris.

13

La femme est assise. Là, sur une chaise du réfectoire. Fausse blonde, grande, tachée de tatouages colorés vieillis par les ans. Elle doit approcher de la cinquantaine. Ses joues sont trempées, elle renifle. Elle a les yeux dans le vague. Le néant pour horizon. Sa main gauche enveloppe seulement un bol de café. Elle s'est changée à la diable, il reste un peu de pyjama sur elle. Et la peau sans maquillage. Une peau écarlate, des traits durs sans doute taillés par l'alcool et le tabac. Mais les larmes coulent là-dessus, comme l'eau d'une source noie les mauvais rochers. La peau, la pierre et leurs accidents, on ne les voit plus. On regarde l'eau verser. Andrée s'agite autour d'elle. Le café, c'est Andrée. Et puis les petites caresses maladroites sur l'épaule, trop frustes, c'est Andrée, aussi. Albert est là, désemparé, je le sens bien. Le regard inquiet.

« Bon, il faut attendre Pierre, quoi.

— Oui, frère Pierre va bientôt rentrer. Vous allez voir, on va bien s'occuper de vous, ici. »

Andrée rassure la femme. Je ne sais pas si elle entend. Sait-elle seulement qui est Pierre ? Andrée m'attrape le bras avec sa petite main sèche. Elle m'emmène dans le couloir et essaie vainement de chuchoter, la tête à quelques centimètres de moi.

« Bon, elle est arrivée il y a quelques minutes, avec ses valises. Elle dit qu'elle ne veut plus voir son compagnon. Faut s'occuper un peu d'elle. Et puis attendre Pierre, mais où il est parti, encore… Moi, je sais pas.

— Je vais rester un peu avec elle, Andrée, t'en fais pas. Mais on sait ce qui s'est passé ? Elle vient d'où ?

— Elle est du village, je crois. Enfin, moi, je ne l'ai jamais vue, hein… Mais elle veut pas parler. Enfin, elle peut pas. Elle fait que pleurer, tu vois bien.

— Oui, écoute, je vais m'asseoir avec elle. »

Andrée me serre le bras et fait mine de s'en aller.

« Je suis à côté, dans la buanderie. Je fais le repassage, là, les aubes pour ce soir. Tu me dis si elle a besoin de quelque chose.

— Oui, Andrée, je t'appellerai. »

Je rentre dans le réfectoire. Albert se sent un peu plus rassuré. Je lui dis qu'on s'occupe de tout. Il fait quelques pas souples en direction de la porte. Se tourne vers la femme, et me regarde. Il a des yeux de grand-père, aimants, tristes. Des yeux de très vieux monsieur, qui semblent dire :

je suis là. À ma manière, mais je suis là. C'est tout petit et fragile, ma présence. Un rien, une vie sur sa fin. Et ça ne se voit pas. Mais comptez sur moi, jusqu'au bout du bout. Albert s'en va, doucement. J'entends ses pas traîner sur la pierre du couloir. Mal à l'aise, je reviens dans la cuisine, ralentis tous mes gestes. J'attrape le journal, tourne les pages sans les voir. La femme n'est pas disposée à discuter. Veut-elle du café ? Elle me dit que non. Sans me regarder, la mâchoire tirée et le visage ridé par la souffrance. Elle fixe le sol maintenant. Ses pieds, qui malgré le froid restent nus dans une paire de sandales en plastique. Un autre tatouage rampe le long de sa cheville. Et moi, je répète des banalités qui ne m'appartiennent pas. Qu'elle est bien ici, qu'elle peut rester. Je lui demande si elle connaissait le monastère. Elle fait signe que non. Mais ses yeux m'observent un peu. Elle lève l'état d'urgence, la crispation. Et puis elle se remet à pleurer. Plus rien à tirer. C'est tout sec, comme ces atroces fins de vomi où l'on ne recrache plus que la bile. Alors c'est moi qui baisse les yeux maintenant. Je déteste voir pleurer. Parce que ça me tente aussi. Ou parce qu'au contraire mon indifférence donne une fausse impression de cruauté. D'abord, comment s'appelle-t-elle ? « Comment vous appelez-vous ?

— Marie.

— Eh bien, Marie, ici vous serez protégée. Il n'y a rien à craindre, et je sais pas bien ce que vous craignez, d'ailleurs. Mais là, vous êtes tranquille.

— Il va revenir, je le sais. Il va pas me laisser seule hors de la maison. »

Marie suffoque, et gémit. Son accent n'est pas d'ici. Plutôt du Grand Nord, même. Tout là-haut sur la carte, un autre pays.

« Eh bien, s'il revient, ici vous ne risquez rien. Mais il faut attendre que Pierre rentre. On est chez lui, ici. Vous le connaissez, Pierre ? »

Marie fait non de la tête. Je n'ai pas le temps de lui expliquer. Andrée entre dans le réfectoire, agitée, imprécise. Le monsieur est là. Il veut voir Marie. Andrée me demande de rester avec elle, de l'accompagner jusqu'au monsieur. Et de veiller tout de même. Marie accepte alors de se lever. Lentement, un mouchoir toujours collé sur le visage, pour les yeux et le nez qui continuent de goutter. Elle marche avec crainte, à petits pas. Pour repousser le moment, sans doute. Dehors, l'homme est au volant de sa voiture. Clope en main, moteur allumé. Je sens la nervosité, la colère. Il doit se demander ce que je viens faire là, pauvre môme qui s'occupe des affaires des autres. Je dis « bonjour ». Il ne répond pas et tourne la tête vers Marie. Alors je me recule, et je les laisse discuter, adossé contre le chambranle de la porte. Andrée est à mes côtés. Elle se caresse les mains, un peu désespérée. Elle soulève ses yeux angoras vers moi, et soupire. Le regard qui s'est habitué aux détresses. L'homme hausse le

ton. « Arrête de faire la conne », « Rentre maintenant », « Si je descends te chercher… » Je perçois
quelques mots. C'est débridé. Et d'abord ça ne
me regarde pas. Mais, embarqué dans l'histoire,
il s'agit d'aller jusqu'au bout. En songeant que
Pierre et les familiers se tapent ça toute l'année
dans la tronche. La croix. Des saints.

Enfin, la voiture démarre en catastrophe. Sous
les pneus, les gravillons giclent. Marie frissonne,
et nous retrouve vite dans le couloir. Elle dit
que c'est bon. De toute façon, elle ne veut plus
le voir. Elle n'habitera plus avec lui. C'est fini,
fini. Alors on s'assoit dans le réfectoire. Marie
est rassurée. Elle nous explique. Une voix asséchée par le sel des larmes, le café et la clope.
Elle est du Nord-Pas-de-Calais, mais le type,
elle l'a rencontré alors qu'elle bossait à Castres.
L'histoire vieille comme l'époque. Il est seul, elle
se sent seule. Il lui promet. L'été finissait. Elle
a tout quitté pour vivre avec lui, dans la vallée.
Ne sachant pas où elle foutait les pieds dans
cette vie à l'étroit, hostile si l'on n'est pas prêt.
Il a fallu trouver un travail. Lui restait à la maison. Tiens. Et puis les copains sont venus. Et
avec les copains, la drogue. La drogue est restée.
Il avait pourtant promis. Il y a eu les change-
ments d'humeur, les paroles en l'air. La colère,
avant la quiétude factice des nuits de défonce.
Marie a continué d'y croire. Tout de même, ça
ne va pas durer. Ça passe, ces choses-là. Et un
peu de tendresse fait vite oublier les tensions.

Cette nuit pourtant, elle n'a pas tenu. Dans les haleines haschichées, elle a rassemblé ses affaires à l'aveugle. La fin daubait plus fort que la Skunk. Fallait se tirer. Où ? Il n'y avait nulle part. À la première aube, à l'heure des pare-brise couverts de givre, Marie a claqué la porte derrière sa grosse valise. Sans voiture, sans son téléphone portable qu'il gardait. Il n'y avait alors plus qu'ici. La porte d'un monastère qu'elle ignorait. Et puis elle a vu Andrée. Et puis on est là, maintenant, autour de cette table qui en a vu d'autres. Je verse dans la seule confidence qui vaille, celle d'un inconnu pour un autre. Car on ne devrait dire de soi qu'à ceux qu'on ne connaît pas. Alors rien n'est faussé, les intérêts ne sont pas en jeu. D'une certaine manière, se confier à un étranger, c'est ne rien dire à personne. Une complainte de rue aussitôt balayée. Oui, c'est sûr maintenant. On ne devrait vivre hors de soi qu'avec les inconnus. Et puis garder le reste. Accepter de se taire avec ceux qu'on aime.

Pierre n'est toujours pas rentré. J'ai parfois l'impression qu'il manque quand nous aurions tant besoin de lui. Comme s'il voulait dire : « Je ne serai pas toujours là. Cette maison vivra aussi de vous. Allez-y, lancez-vous. En route. » Mais ici, personne n'est encore prêt. Si je songe au monastère sans Pierre, j'ai la certitude qu'il s'effondrerait. Il y manquerait l'autorité spiri-tuelle, la tempérance dans ce petit monde rempli d'excès. C'est un mot bien connu : laissez une paroisse vingt ans sans prêtre, et on y adorera les bêtes. L'époque n'a peut-être jamais autant cherché Dieu. Pierre n'a sans doute jamais accueilli autant d'âmes à la ramasse, salopées, mendiant l'amour de Dieu et Sa présence. Mais sur le chemin, combien se perdent ? On ne distingue plus dans la nuit, et tout le monde va à la lumière. Seulement, ce n'est pas toujours la bonne qui éclaire. Et Pierre m'a raconté les expériences spirites de ses âmes errantes. Le bouddhisme adapté, le dialogue avec les anges, l'emprise de quelque gourou. Une vie de frayeurs, à courir les superstitions et déceler les présages. L'entreprise de paix et de charité de Pierre a bien failli s'abîmer. La mort dans l'âme, il a dû renvoyer sur la route ces gars auxquels il s'attachait mais qui apportaient la peur dans les couloirs du monastère.

★

Marie se sent sale, elle ne s'est pas lavée. Andrée l'accompagne aux douches. Elle lui montre. La matinée est longue. Moi, j'attends Noël qui achèvera mon voyage. Noël des femmes seules, alors. Marie, Andrée. Une vraie fête, celle où des solitudes vont se rejoindre. Où il n'est pas question de bouffetance toute la journée, d'organisation pour faire venir les uns, d'un réveillon qui arrangerait les autres. On avance plutôt à

petits pas jusqu'au soir. On accueille les derniers
hères. Dans la solitude, il faut se forcer à faire
d'une fête exceptionnelle un jour comme les
autres. Ne pas changer ses habitudes, éviter de
sortir. Ceux qui cherchent à combler le vide se
donnent le vertige. Seul à Noël, il faut maintenir
le vide à sa vraie distance. Quand Marie revient,
nous parlons de la famille qu'elle n'a plus. Elle
n'évoque pas Noël, comme si elle avait honte
d'être seule aujourd'hui. Comme si elle n'y avait
pas pensé. Ces gens qui par fausse pudeur font
mine d'avoir oublié le jour de leur anniversaire.
« Ah oui, tiens, c'est vrai... »

Elle sent le gel douche maintenant, Marie. Et
l'odeur épicée du tabac chez les femmes, quand
elle s'ajoute au parfum. Là-haut, j'entends le
raclement de la ponceuse d'Alain. Par la porte,
Andrée m'annonce que Pierre et Xavier ne rentreront pas avant le déjeuner. Ils sont occupés
dans la plaine d'Oloron. C'est à nous de préparer
le repas. Je propose à Marie de nous y mettre,
et Andrée ne cesse pas son va-et-vient entre le
réfectoire et l'arrière-cuisine. Elle contourne Olivier à toute allure. Olivier qui fait traîner ses
pantoufles jusqu'à la grande table de la salle à
manger. Il s'assoit, le manteau sur les épaules, et
nous regarde. Puis il regarde le vague, et attend.

14

Le soir de Noël, on vide les paysages. On ne circule plus. Et ceux qui traînent encore dehors font bien de rentrer chez eux. Faut voir les boulevards en ville, les commerces. C'est un désert de pierre pâle examiné au halo des lampadaires. Même les capitales deviennent sauvages. Comme si on avait aussi demandé aux pauvres de se trouver une baraque. Le jeu du quotidien est fini. Chacun chez soi.

Dans la vallée, les voitures ne roulent plus. Nous sommes seuls, ou presque, sur la route nationale. Pierre a célébré sa première messe de Noël à Bedous, en fin d'après-midi. Celle des enfants de la vallée. Quelques heures pour verser complètement dans la nuit. Nous rentrons au monastère, le temps d'avaler la soupe préparée par Xavier, et il faudra dire la deuxième messe à Sarrance. Pierre sourit : « C'était un bel office, non ? L'église était pleine… De mémoire d'Aspois, je n'avais pas vu ça depuis très longtemps. »

J'ai suivi la messe au fond de l'église, assis sur une chaise en paille aux pieds tremblants. Et j'ai contemplé ce spectacle comme un étranger de passage. Souvent avec leur grand-mère, des grappes d'enfants emmitouflés dans leurs doudounes se serraient sur les bancs. Dans l'allée, Andrée s'affolait. Les radiateurs à gaz ne fonctionnaient pas. On aurait froid. Il régnait dans l'église assombrie une agitation de réveillon. Du sourire pour tous, le clignotement des guirlandes autour de la crèche. Les responsables du catéchisme distribuaient les feuilles de chants qu'on répétait timidement avant la messe. Dehors, sur le parvis, des gamins de seize ans tournaient en scooter. On entendrait leur bourdonnement jusqu'à la fin de l'office. Pierre connaissait les enfants du catéchisme. Les mamans le saluaient. Et l'office s'est déroulé dans le désordre des églises livrées aux enfants. Leurs chuchotements, leurs éclats de rire étouffés. Je m'amusais aussi de l'air plus sérieux de certains, la tête droite et fière entre deux parents. À la sortie, j'ai regardé la joie sur les visages. L'excitation des petits dans le soir de Noël, sautant les marches du parvis à pieds joints. On veillerait comme les grands, tout à l'heure, dans la chaleur du salon, dans l'odeur des bougies et des pommes de pin. Oui, sur la bouille de ces enfants, je voyais aussi celle de mes petites années. Noël était cette magie qu'on vivait en fratrie. Nuit légendaire qui exacerbait aussi nos caprices de petits Occidentaux gâtés.

Je me souviens d'un soir où nous rentrions de la messe de minuit, à Rouen. La voiture pleine à craquer sentait l'eau de Cologne de maman, le vieux cuir élimé et le déodorant bon marché de mon père. J'épluchais les bougies qu'on nous avait données à la veillée. À la vitesse d'un poids lourd, la voiture attaquait les murs qui se lèvent dans les faubourgs de Rouen. Mont-Saint-Aignan, Bois-Guillaume. Noël chez mes grands-parents avec les oncles et tantes, les cousins. Et puis, en passant devant une maison, nous avons deviné la silhouette d'un adolescent. Il était assis sur le pas d'une porte. Les bras ballants, la tête baissée. Papa s'est alors arrêté. On voulait être sûrs que tout allait bien. C'était la nuit de Noël, et lui restait seul sur le trottoir. Anormal pour nous tous dans l'excitation du réveillon. Le garçon avait alors dit que tout allait bien. Il avait oublié ses clefs. Il attendait ses parents.

Pourquoi, quand je pense au soir de Noël, ce morceau de vie si bref, inutile, pourquoi ressort-il ? Je songe toujours à l'arrêt de mon père devant cette porte. À ce visage relevé vers nous, souriant. Qu'on me demande une image de Noël, et aussitôt c'est celle-là qui vient à ma mémoire. J'avais dix ans, à peine. Simplement, il y a toujours eu pour moi une anormalité de la nuit de Noël. C'était une énigme, un temps à part. Du haut de mes dix ans, il me semblait impossible de rester ce soir-là seul devant sa porte. J'opposais Noël à la solitude. Aujourd'hui, un 25 décembre, je ne vois qu'elle, la solitude. Je la traque. Et quand je pense à ce garçon assis sur un trottoir des collines de Rouen, je me dis que, peut-être, il nous avait menti. Pour être tranquille, éviter la gêne et les discussions. Sa tristesse durerait une nuit. Une nuit qu'il voulait passer seul. Moi, à cet âge, dans la vacuité matérielle qui entoure Noël, je devinais, à peine, qu'il se cachait un autre mystère. Oh, quelque chose de bien plus grand que moi. Une autre mesure. Rien à voir avec mes livres d'images. Ce n'était pas griffonné sur la liste de mes cadeaux. Il y avait cet enfant mis au monde pour annoncer de grands bouleversements. Je ralliais cette condition. Je devinais qu'il s'agissait de quelque chose à part. Du hors-norme. Je ne dis pas que j'y croyais. Un enfant ne croit pas. Il fait confiance.

Que reste-t-il de celui que j'étais ?

*

Ce soir, la vallée n'a jamais autant ressemblé à une ville. Une ville éteinte, un New York pyrénéen, avec la masse noire des gratte-ciel au bord de l'avenue. La silhouette des arbres dénudés, forêt de poteaux électriques à perte de vue. Il y a l'espoir d'une mer plus loin, et le vent qui s'infiltre entre les buildings. Il y a le gave et son bruit incessant de métro qui dévale au pied des tours. Il doit pourtant bien se raconter des choses derrière ces murs. Mais on n'entend rien. Le monde a filé. Voyez notre Manhattan des Pyrénées, la *skyline* du Béarn. La terre n'a pas attendu l'homme pour bâtir ses buildings. Faut plutôt croire qu'on a copié les vallées pour accoucher des monstres de verre et de ciment. Reste à savoir si les cols blancs du soixantième étage ont l'esprit des hauteurs. Si le Starbucks au pied du West Village a le regard valléen. J'en doute. C'est encore l'homme qui pourrit tout. Une vraie carie.

Sur la place de l'église, je remarque seulement ce soir les guirlandes électriques pendues entre les platanes. Aussi maigres que leurs branches, d'ailleurs. Elles scintillent, entre le bleu et l'argent. Elles brillent comme l'acier. Nous filons au réfectoire retrouver Olivier, Xavier et Alain. Alain qui aussitôt tombe sur Pierre pour lui demander de le raccompagner à la maison. « Ce soir, à la télévision, il y a le Cirque du Soleil. Je le loupe jamais !

— C'est moi qui vais te ramener, Alain, avance Xavier. Tu me donnes les clefs de la voiture, Pierre ? Tu devrais aller te reposer un peu avant la messe de minuit. » Pierre prend doucement l'avant-bras de Xavier, et lui répond, en s'adressant à nous tous :

« Si tu savais ! Nous avons eu une très belle messe ce soir à Bedous. Une très belle messe, frère. Tu ne peux pas savoir comme je suis heureux de voir ça. Et du monde comme rarement j'en ai vu. »

Xavier sourit. Nous sourions tous. Alain seulement prépare son sac en plastique et se prépare à partir. Pierre doit dîner et se reposer. Nous buvons un bol de soupe sur le pouce, dans le réfectoire où l'on va et vient dans une agitation de sacristie. Il manque des bougies, il faut la clef d'une armoire, où est passé l'encensoir ? Le vieil Albert retrouve ses jambes de vingt ans et multiplie les allers-retours entre la sacristie et le réfectoire. La fatigue ne pèse plus dans la ferveur de Noël.

Dans l'église, l'organiste révise certains chants. Et de nouvelles têtes apparaissent à mesure que la messe approche. Il y a les amis du Pays basque, une famille bordelaise en vacances. Il y a les vieilles filles de la vallée en robe du dimanche, apprêtées pour une fête qui est aussi la leur. Elles qu'on devine certains matins de la semaine, sur le prie-Dieu devant la Vierge. À genoux malgré l'âge, le visage douloureux dans la prière. Quelques voitures se garent devant le monastère. Ce sont les rares familles des villages voisins qui interrompent leur réveillon pour la messe de minuit. J'ai l'impression que le décor humain de la vallée descend à Sarrance. La vie se lève dans l'obscurité. On marche vers la lumière, la fontaine qui gargouille, la place de l'église et ses platanes. Le parvis où l'on sent déjà la fumée de l'encens, la cire, et le bois d'église. Oui, les vies se relèvent une à une. Elles forment un petit peuple noctambule, prêt à fêter Noël pour toute la vallée. Il y a le sentiment de quelque chose d'immense dans cette simplicité effarante. Les silhouettes sortent de l'ombre, de nulle part. Et elles avancent à petits pas vers l'église. La vallée envoie ses enfants, seuls ou par groupes. Elle attendait le grand mystère. On parle toujours du ciel en colère, d'une nature qui se venge. Alors, pourquoi tairais-je cette nuit unique où tout rit ? Comme la Vierge, la vallée met au monde. Elle se sent mettre au monde. Ses enfants ne sont pas des dieux, mais ils portent la vie. Ils la reçoivent comme un don, et c'est comme un don, aussi, qu'ils la rejettent. L'assassinent.

Alors voilà l'église pleine de moitié. Dans la sacristie, Pierre, à peine reposé, enfile son étole aux couleurs de fête. Albert prélève un peu d'encens de la navette pour nourrir l'encensoir. Ses doigts tremblent. Mais ça ira, Pierre. Ça ira. Xavier, plus pressé que d'habitude, va au chœur pour allumer les derniers cierges. Et la Vierge est là, en haut de l'escalier. Elle regarde ses enfants, les yeux baissés. Le petit posé sur son genou gauche. Et l'orgue joue des airs d'avant-messe, cérémonieux, trop lourds pour le nombre modeste que nous sommes. Au fond de l'église, la porte latérale vrille à l'entrée d'un nouveau fidèle. On vient se serrer sur les bancs, on hoche la tête pour saluer un voisin, plus loin. Olivier est assis derrière la chaire, à l'écart. Tout à l'heure, il disait qu'il ne viendrait pas à la messe. Trop fatigué. Mais il est bien avec nous, bougon, la tête fixée sur ses pantoufles. Je regarde autour de moi. Marie n'est pas là. Sans doute dort-elle déjà après toutes ses nuits d'insomnie.

Pour mon dernier soir auprès de Pierre, c'est comme si on avait fait entrer la vallée dans l'église. La vallée blottie autour de sa Vierge. J'imagine que Marie Blanque se cache parmi les vieilles femmes des premiers rangs. Devant, un couple parle fort. Ils ont les cheveux gras, le visage lacéré par la couperose. Ils sentent l'alcool. Mais tout de même, ils sont venus. Parce que c'est Noël. Et qu'après tout, Noël n'est pas une nuit comme les autres. Si on doit entrer vivant dans une église, que ce soit pour Noël. Le vin attendra un peu. Il repose. L'ivrognerie aussi peut rapprocher de Dieu. Chez ces voisins du bourg rétamés là, le regard vitreux et les lèvres gercées par l'alcool. Chez les clochards croisés l'avant-veille et leur beauté de toxicomanes abrutis de produits. Ce sont seulement des chemins qui s'égarent. Seulement des dépendances au regard des hommes et des cicatrices sur leur corps. Le pauvre corps qu'on viole et maltraite, quand lui aussi fait mémoire des gestes. On oublie trop vite que notre peau aussi se souvient. Mais ceux-là, les derniers des derniers, ils sont tellement cramés que, lorsqu'ils verront

Dieu ouvrir ses bras, ils jetteront leurs os dans le Grand Amant. Ce sera une course titubante, et des larmes de joie versées. La misère plongera dans la Miséricorde.

La messe commence alors. On chante le « Divin Enfant ». Et devant Pierre et Albert en procession dans l'allée centrale, une fillette apporte la statue du Nouveau-Né dans la crèche. L'orgue est cet instrument qui respire. Les voix s'éparpillent en chantant. On devine les hommes qui s'époumonent avec des accents graves, coupants. Chacun jette un bref coup d'œil sur sa feuille de chants, et lève les yeux vers Pierre et Albert qui s'avancent vers l'autel. Il y a deux enfants de chœur. Des garçons qu'on a réquisitionnés parmi les rares vacanciers. Le regard fier et sérieux, investis d'une mission, ils soulèvent le pli de leur aube pour gravir les marches du chœur. Le plus grand fait battre l'encensoir, petite locomotive en tête de cortège qui crache ses odeurs fastes, ses volutes de fumée. L'assemblée est debout. Je la regarde avec émotion. Petit peuple de Dieu, branlant, sans assurance. Assoiffé d'amour. Pierre parle de la joie de Noël, de ce petit garçon que les puissants n'ont pas vu. Il dit qu'Il est né à Bethléem il y a deux mille ans. Mais qu'Il est là avec nous cette nuit, dans la vallée où le vent siffle dehors. Où tout repose, même le gave qu'on ignore. Il ne clame plus, il chuchote. Comme nous, il attend. Le gave laisse les galets le freiner. Il s'arrête à Sarrance.

Lou anyous hens la campagno
Qu'andésbéyat touts lous pastous.
Soun partits hens l'escuragno
Ta adoura lou saoubadou.

On chante le Gloria en béarnais. Ces anges
dans nos campagnes, l'hymne des cieux, et l'écho
de nos montagnes. Dans sa langue, la vallée
tremble. Ses voix sont douloureuses parce que
la joie aussi est une douleur. Parce qu'on sait
qu'il y a cette nuit de Noël, mais qu'on ignore le
jour d'après. Croire peut ne durer qu'un instant.
Gloria trop fugace.

Ce sont ensuite deux voix graves qui se succèdent dans le chœur pour lire les textes. Des
hommes forts, aux cheveux tirés en arrière. Le
micro couine, il y a quelques résonances, mais
chaque lecteur s'adapte. Sur les stalles ados-
sées au mur, en face de la table d'autel, Pierre
et Albert écoutent, sans un mouvement, assis
l'un à côté de l'autre. Un servant de messe
se lève discrètement pour ajouter un charbon
dans l'encensoir. Les lectures sont finies, et l'on
chante l'Alléluia. Le thuriféraire s'avance alors
devant Pierre, et lui présente la navette. Pierre
remplit lui-même l'encensoir. Puis il s'avance
avec l'évangéliaire, qu'il dépose sur l'ambon. De
nouveau, on lui tend l'encensoir. Par trois fois,
Pierre le secoue au-dessus du livre. Son geste
encore est aérien, porté par quelqu'un d'autre.

Pierre est aidé par Celui qu'il aime. L'assemblée s'est levée dans le grincement des bancs et des os. Quelques vieilles femmes restent assises. Figée, l'une d'elles a la main accrochée au dossier du banc de devant. Comme si elle avait dû arrêter son geste. Tout le monde s'est tu. Le couple aviné qu'on entendait se plaindre pendant les lectures s'est aussi levé. Il ne dit plus rien. Pierre se signe sur le front, sur les lèvres et contre le cœur. Certains l'imitent. Puis, les deux mains agrippées au pupitre, Pierre lit :

Au commencement était le Verbe, et le Verbe était avec Dieu, et le Verbe était Dieu. Il était au commencement avec Dieu. Tout fut par lui, et sans lui rien ne fut. Ce qui fut en lui était la vie, et la vie était la lumière des hommes, et la lumière luit dans les ténèbres et les ténèbres ne l'ont pas saisie.

Pierre a terminé sa lecture. Nous nous sommes tous assis, et plus personne n'a rien dit. Les mots ont parlé pour nous. Mon voyage à Sarrance a pris fin, là, quand Pierre a refermé l'évangéliaire. Quand il a laissé le silence agir avant de commencer son prêche.

*

Eh bien voilà, c'est fini. C'est fini, et pourtant voyez. Tout commence. La vallée elle-même berce un nouveau-né qu'elle allaite. Demain je partirai. Je laisserai mes personnages et mes amis. Boulimique, je vis condamné à recracher ce que j'ai vu. J'ai cherché à comprendre la vallée, ses enfants. Et d'eux, je n'ai pas tout compris. Je reviendrai parce que la nature agit sur nous comme la lune sur les marées. Il y a un pouvoir qui attire et rejette. Un début et une fin. Entre les deux ? Il y a ces histoires qu'on raconte. Qui sont des récits de mort volontaire, de cris dans la nuit et de rire au pied des statues. Et puis quoi. Où vont-elles, toutes ces histoires ? Moi, je suis sûr qu'un jour Alain reprendra la route. Il vivra de ses pieds sur les sentiers d'Europe. La vraie vie de mendiant. Mais quand il toquera aux portes, ce sera comme le soleil qui cogne aux volets. Il faudra lui ouvrir. Xavier aura trouvé Celui qu'il cherchait. Sans jamais finir de Le découvrir. Et ses repas si simples auront toujours le goût des bonnes choses. À Bedous, on aura fêté monsieur Étienne. Il prendra son dernier train. Et par une grande éclaircie, comme en rêve, les wagons le porteront jusqu'en Aragon et Canfranc. Le rail ne sera plus une bataille perdue. Marie continuera sa vie dans le Nord. Son pays, après tout. On aura cessé de lui crier dessus.

Au monastère, enfin, Pierre et le vieil Albert seront entourés d'autres frères. Par cette vie de prière dont ils rêvent. Les chants au lever, pour matines. Et les chants au coucher, à complies.

Alors, pour toujours, la vallée sera cette femme parée pour ses noces. Ainsi que les hommes, les sommets mêmes chanteront. De ces personnages, leur Dieu dira une nouvelle fois : « Si eux se taisent, les pierres crieront. » Le monastère règne sur la vallée, autorité stable et sûre dans un paysage incertain. Comme si cette vie-là, avec ses amours faméliques, ses intrigues, ses peurs, était dominée par un amour plus grand. Sans Sarrance, ici, la terre s'écroulerait. Elle bouge-rait encore. Les sommets avaleraient la vallée dans un long bruit d'étouffement. Demandez à tous ceux qui passent. À ceux qui restent. Ils diront que ce lieu porte une espérance qui le dépasse. Qu'on y trouve la joie dans les regards. Certains endroits élèvent. Ils ont été choisis de longue date pour que Dieu parle aux hommes. L'abandon ne les guette pas. Ils ne passeront jamais. Albert et Pierre ? Ils sont de Dieu, jus-tement. À quoi bon invoquer les saints si on ne reconnaît pas ceux qui nous entourent. Dans leur vallée, dans ce gouffre, inconnus, ils passent sur cette terre. Cela existe, les saints. Et nous ne le dirions pas ?

Et après

J'avais quitté la vallée depuis plusieurs mois. J'écrivais ce livre dans la douceur désordonnée du mois de mai à Paris. Où le printemps déjà ne vit plus qu'un sursis, saison bâtarde trop tôt violée par l'été. La vallée existait dans quelques-uns de mes souvenirs. Je relisais mes notes. J'appelais Pierre dans le besoin de certaines précisions. Au téléphone, j'écoutais sa voix. J'écoutais un peu du faux silence de Sarrance. « Tu me suis ? » répétait-il toujours, gêné par la distance, la mauvaise fréquence de la ligne.

Un jour, mon téléphone sonna. Je travaillais à mon bureau, et Pierre m'appelait dans l'inquiétude. Cette voix, je ne la reconnaissais presque pas. Trop timide, faiblarde. La voix diminuée d'une bête traquée. Rien n'allait plus au monastère. Pierre était seul, plus que jamais. J'imaginais naïvement qu'il tenait bon. Mais Pierre ne s'en sortait plus. L'esquif dérivait. Les hommes n'étaient plus là. La vallée reprendrait ses droits. Elle avalerait le sanctuaire et sa Vierge noire. Pierre n'avait plus personne pour le seconder. Certains familiers avaient fui, rattrapés par leurs maux. D'autres n'avaient plus le temps ni la force de s'occuper des lieux. Surtout, Pierre était seul dans la foi. « Il me faut un frère pour vivre ici en prière avec moi. » Il parlait même de quitter un jour le monastère. « Mais je ne le ferai pas tout de suite, pour Albert, qui doit finir sa vie ici. Et je ne le ferai pas, pour ceux qui avec moi ont cru en Sarrance. » Il doutait. Lui aussi, sûrement, il n'était qu'un homme.

J'imaginais Pierre m'appelant depuis sa chambre, au premier niveau du cloître. Et la lumière de mai dans la vallée, qui devait lécher les murs du monastère. Trouillarde malgré tout, quand il faut dépasser les montagnes pour visiter ses hommes. Pierre cherchait un peu de monde, en urgence. Pour l'accueil des pèlerins, pour préparer les repas, mettre en état le jardin du cloître…

Quand je raccrochai, sa voix cognait encore contre mon cœur. La faiblesse des forts irradie. Je me sentais aussi désespérer. Et il faut voir Sarrance pour comprendre que ce lieu mérite d'exister. Il y a une vie de l'âme derrière ces murs. Il y a le gave à ses pieds, ce torrent encore pur où l'eau ricoche sur les galets. Bleue comme la gentiane, et puis noire les soirs de grands orages. Ce soir-là, au coucher, Pierre irait embrasser sa Vierge et l'Enfant. Il dirait pardon de ne pas être à la hauteur. Mais il demanderait surtout de l'aide. Encore. La mort même ne saurait balayer cinquante années de charité dans la vallée.

Mais le lendemain de son appel, je recevais un message de Pierre. Il disait :

« Je retrouve une très grande Paix depuis hier. Et avec, une confiance inébranlable ! Je suis sûr que le Seigneur nous guide. Il ne m'a pas mis ici, me faisant traverser tant d'obstacles, pour me mener à une impasse. De cela, je suis sûr ! »

Et dans un autre message, Pierre poursuivait :

« Tu sais, il faut que je te dise quelque chose de très important et qui m'habite profondément. C'est le Seigneur qui fonde Sarrance ; c'est comme un tapis qui est prêt à se dérouler, et le déroulement a déjà commencé. Pour nous, notre très grande action, parce que nous en avons une à mener, c'est d'aider à décoincer le tapis quand il rencontre des obstacles. »

Enfin, il terminait avec ces mots d'Isaïe :

« Dans la conversion et le calme est votre salut, dans la sérénité et la confiance, votre force. Heureux celui qui attend l'heure de Dieu. »

DU MÊME AUTEUR

Aux Éditions des Équateurs

LA PISTE PASOLINI, 2015. Prix des Deux Magots 2016, prix
François Mauriac de l'Académie française 2016.

DES ÂMES SIMPLES, 2017 (Folio n° 6568). Prix Roger
Nimier 2017, prix Spiritualités d'aujourd'hui du roman 2017.

LE TOUR DE LA FRANCE PAR DEUX ENFANTS
D'AUJOURD'HUI, avec Philibert Humm, 2018.

COLLECTION FOLIO